P9-AOL-528

*El hombre y su poesía*

Letras Hispánicas

Miguel Hernández

# *El hombre y su poesía*

## Antología

Edición de Juan Cano Ballesta

OCTAVA EDICION



CATEDRA

LETRAS HISPANICAS

Ilustración de Cubierta: David Lechuga


Don Ramón de la Cruz, 67 - 28001 Madrid
Depósito legal: M. 26.394-1987
ISBN: 84-376-0001-4
*Printed in Spain*
Impreso en Anzos - Fuenlabrada (Madrid)

# *Introducción*

Que no se pierda...
esta voz, este acento,
este aliento joven de España.

(Juan Ramón Jiménez)

# Miguel Hernández

*Hombre y poeta*

Pocos hombres se han volcado tan íntegra y apasionadamente en su creación lírica como Miguel Hernández. Su verbo cálido y enterizo va marcado con el sello imborrable de la sinceridad. Tal es su estilo humano y poético. Su actuación diaria, social o política, la llevaba a cabo con tal hombría y sin reservas como su quehacer artístico. Es la actitud radical de quien pudo decir en endecasílabos genialmente acuñados: «porque yo empuño el alma cuando canto» y «la lengua en corazón tengo bañada». Todo el hombre íntegro e ingenuo, entusiasta y apasionado, profundo e intenso, se ha disparado de tal modo en la resonancia metálica de su palabra poética que aún lo tenemos ahí palpitando en el misterio de su verso vigoroso y sangrante.

Lejos de la ilustrada distinción orteguiana —diagnóstico penetrante de los gustos de su tiempo—: «Vida es una cosa, poesía es otra... No las mezclemos», la creación lírica es para él proyección artística de las más hondas preocupaciones humanas. Precisamente es lo personal, «lo más humano de lo humano», el venero de su más conmovedora poesía. Su biografía queda esculpida en poemas prodigiosos. El amor, la generación y maternidad, la esposa, son los más excelsos temas líricos. La guerra con sus heridos, sangre, muerte, soledad, hambre, inspira poemas conmovedores. El ronco tren maternal que «avanza como un largo desaliento» cargado de moribundos, dolor y sudor, empaña su verso, muy alejado de todas las purezas artificiales, pero en el que orean aires limpios de autenticidad y vibración cordial, viril y sin mixtificaciones.

Exactamente por todo ello Miguel Hernández tiene un extraordinario mensaje lírico y humano para el hombre de hoy.

Es capaz de levantar oleadas de entusiasmo, lo sentimos muy cerca de nosotros. A la distancia de cuarenta años su sensibilidad artística sigue siendo la nuestra y su poesía respira esa hombría y sinceridad que impregna toda su creación y que embriaga a todo hombre de espíritu joven, limpio y sensible.

*Trayectoria biográfica*

En Orihuela, la mítica y perfumada Oleza de Gabriel Miró, rodeada del oasis exuberante de la huerta del Segura, nació Miguel Hernández el 30 de octubre de 1910. Hijo de un contratante de ganado, su niñez y adolescencia transcurren por la aireada y luminosa sierra oriolana tras un pequeño hato de cabras. En medio de la naturaleza contempla maravillado sus misterios: la luna y las estrellas, la lluvia, las propiedades de diversas hierbas, los ritos de la fecundación de los animales. Por las tardes ordeña las cabras y se dedica a repartir la leche por el vecindario. Sólo el breve paréntesis de unos años interrumpe esta vida para asistir a la Escuela del Ave María, anexa al Colegio de Santo Domingo, donde estudia gramática, aritmética, geografía y religión, descollando por su extraordinario talento. En 1925, a los quince años de edad, tiene que abandonar el colegio para volver a conducir cabras por las cercanías de Orihuela. Pero sabe embellecer esta vida monótona con la lectura de numerosos libros de Gabriel y Galán, Miró, Zorrilla, Rubén Darío, que caen en sus manos y depositan en su espíritu ávido el germen de la poesía. A veces se pone a escribir sencillos versos a la sombra de un árbol realizando sus primeros experimentos poéticos.

Al atardecer merodea por el vecindario conociendo a Ramón y Gabriel Sijé y a los hermanos Fenoll, cuya panadería se convierte en tertulia del pequeño grupo de aficionados a las letras. Ramón Sijé, joven estudiante de derecho en la universidad de Murcia, le orienta en sus lecturas, le guía hacia los clásicos y la poesía religiosa, le corrige y le alienta a proseguir su actividad creadora. El mundo de sus lecturas se amplía. El joven pastor va llevando a cabo un maravilloso esfuerzo de autoeducación con libros que consigue en la biblioteca del Círculo de Bellas Artes. Don Luis Almarcha, canónigo entonces de la catedral, le orienta en sus lecturas y le presta también libros. Poco a poco irá leyendo a los grandes autores del Siglo de Oro: Cervantes, Lope, Calderón, Góngora y Garcilaso, junto con algunos autores modernos como Juan Ramón y Antonio Machado. En el horno de Efén Fenoll, que está muy cerca de su casa, pasa largas horas en agradable tertulia discutiendo de poesía, recitando versos y recibiendo preciosas sugerencias del culto Ramón Sijé que acude allí a visitar a su novia Josefina Fenoll. Desde 1930 Miguel Hernández comienza a publicar poemas en el semanario *El Pueblo* de Orihuela y el diario *El Día* de Alicante. Su nombre comienza a sonar en revistas y diarios levantinos.

Poseído por la fiebre de la fama, en diciembre de 1931 se lanza a la conquista de Madrid con un puñado de poemas y unas recomendaciones que al fin de nada le sirven. Aunque un par de revistas literarias, *La Gaceta Literaria* (15-I-1932) y *Estampa* (22-II-1932), acusan su presencia en la capital y piden un empleo o apoyo oficial para el «cabrero-poeta», las semanas pasan y, a pesar de la abnegada ayuda de un puñado de amigos oriolanos, tiene que volverse fracasado a Orihuela. Pero al menos ha podido tomar el pulso a los gustos literarios de la capital, que le inspiran su libro neogongorino *Perito en lunas* (1933), extraordinario ejercicio de lucha tenaz con la palabra y la sintaxis, muestra de una invencible voluntad de estilo. Tras este esfuerzo el poeta ya está forjado y ha logrado hacer de la lengua un instrumento maleable. En Orihuela continúa sus intensas lecturas y sigue escribiendo poesía. También sus amigos le preparan alguna actuación en público. En el Casino de Orihuela recita y explica su «Elegía media del toro». Otra vez, en abril de 1933, es en Alicante donde interpreta la misma elegía después de una docta charla de Ramón Sijé sobre *Perito en lunas*. La prensa local se hace eco del acontecimiento literario alimentando en el joven poeta el ansia y sed de celebridad.

Un día, al salir de su trabajo, en una notaría de Orihuela, conoce a Josefina Manresa y se enamora de ella. Sus vivencias van hallando formulación lírica en una serie de sonetos que desembocarán en *El rayo que no cesa* (1936). Las lecturas de Calderón le inspiran su auto sacramental *Quien te ha visto y quien te ve y sombra de lo que eras,* que, publicado por *Cruz y Raya,* le abrirá las puertas de Madrid a su segunda llegada en la primavera de 1934. Allí se mantiene con un empleo que le ofrece José María de Cossío para recoger datos y redactar historias de toreros.

En Madrid su correspondencia amorosa no se interrumpe y la frecuente soledad inevitable en la gran ciudad le hace sentir nostalgia por la paz e intimidad de su Orihuela. Las cartas abundan en quejas sobre la pensión, rencillas de escritores, intrigas, el ruido y el tráfico. Así es que en cuanto le es posible vuelve a su Oleza para charlar con los amigos, comer fruta a satisfacción y bañarse en el río. Aunque lentamente, va creándose en Madrid su círculo de amigos: Altolaguirre, Alberti, Cernuda, Delia del Carril, María Zambrano, Vicente Aleixandre y Pablo Neruda. Entre ellos trata de vender algunos números de la revista *El Gallo Crisis,* recién fundada por Ramón Sijé, pero tiene que constatar que ésta no gusta a muchos de sus nuevos amigos. Neruda se lo confiesa abiertamente: «Querido Miguel, siento decirte que no me gusta *El Gallo Crisis.* Le hallo demasiado olor a iglesia, ahogado en incienso» (carta del 4-I-1935). Ramón Sijé teme perder a su gran amigo para sus ideales neocatólicos, pero pronto tiene que constatar que el ambiente de Madrid puede más que los ecos de la lejana Orihuela. Pablo Neruda insiste en sus ingeniosos sarcasmos anticlericales: «Celebro que no te hayas peleado con *El Gallo Crisis,* pero esto te sobrevendrá a la larga. Tú eres demasiado sano para soportar ese tufo sotánico-satánico» (carta del 18-VIII-1935). Si Ramón Sijé y los amigos de Orihuela le llevaron a su orientación clasicista, a la poesía religiosa y al teatro sacro, Neruda y Aleixandre lo iniciaron en el surrealismo y le sugirieron, de palabra o con el ejemplo, las formas poéticas revolucionarias y la poesía comprometida, influyendo, sobre todo Neruda y Alberti, en la ideología social y política del joven poeta provinciano. Superada esta crisis, Miguel Hernández es ya un poeta hecho y comienza a crear lo más logrado y genial de su obra.

El estallido de la Guerra Civil en julio de 1936 le obliga a tomar una decisión. Miguel Hernández, sin dar lugar a dudas, la toma con entereza y entusiasmo por la República. No solamente entrega toda su persona, sino que también su creación lírica se trueca en arma de denuncia, testimonio, instrumento de lucha ya entusiasta, ya silenciosa y desesperada. Como voluntario se incorpora al 5.º Regimiento, después de un viaje a Orihuela a despedirse de los suyos. Se le envía a hacer fortificaciones en Cubas, cerca de Madrid. Emilio Prados logra que se le traslade a la 1.ª Compañía del Cuartel General de Caballería como Comisario de Cultura del Batallón de *El Campesino.* Va pasando por diversos frentes: Boadilla del Monte, Pozuelo, Alcalá. En plena guerra logra escapar brevemente a Orihuela para casarse el 9 de marzo de 1937 con Josefina Manresa. A los pocos días tiene que marchar al frente de Jaén. Es una vida agitadísima de continuos viajes y actividad literaria. Todo esto y la tensión de la guerra le ocasionan una anemia cerebral aguda que le obliga por prescripción médica a retirarse a Cox para reponerse. Varias obritas de *Teatro en la guerra* y dos libros de poemas han quedado como testimonio vigoroso de este momento bélico: *Viento del pueblo* (1937) y *El hombre acecha* (1939).

En la primavera de 1939, ante la desbandada general del frente republicano, Miguel Hernández intenta cruzar la frontera portuguesa y es devuelto a las autoridades españolas. Así comienza su larga peregrinación por cárceles: Sevilla, Madrid. Difícil imaginarnos la vida en las prisiones en los meses posteriores a la guerra. Miguel, con un humor entre amargo y esperanzado, escribe a su esposa el 12 de septiembre de 1939 esta carta conmovedora, que nos revela su hondura humana y la atmósfera singular en que nacieron tantos poemas impresionantes, entre ellos las «Nanas de la cebolla»:

> Estos días me los he pasado cavilando sobre tu situación, cada día más difícil. El olor de la cebolla que comes me llega hasta aquí y mi niño se sentirá indignado de mamar y sacar zumo de cebolla en vez de leche. Para que lo consueles te mando esas coplillas que le he hecho, ya que para mí no hay otro quehacer que escribiros a vosotros o desesperarme. Prefiero lo primero y así no hago más que eso, además de lavar y coser con muchísima seriedad y soltura, como si en toda mi vida no hubiera hecho otra cosa. También paso mis buenos ratos expulgándome, que familia menuda no me falta nunca, y a veces la crío robusta y grande como el garbanzo. Todo se acabará a fuerza de riña y paciencia, o ellos, los piojos, acabarán conmi-

go. Pero son demasiada poca cosa para mí, tan valiente como siempre, y aunque fueran como elefantes esos bichos que quieren llevarse mi sangre, los haría desaparecer del mapa de mi cuerpo. ¡Pobre cuerpo! Entre sarna, piojos, chinches y toda clase de animales, sin libertad, sin ti, Josefina, y sin ti, Manolillo de mi alma, no sabe a ratos qué postura tomar, y al fin toma la de la esperanza que no se pierde nunca[1].

Inesperadamente, a mediados de septiembre de 1939, es puesto en libertad. Fatídicamente, arrastrado por el amor a los suyos, se dirige a Orihuela, donde es encarcelado de nuevo en el seminario de San Miguel, convertido en prisión. El poeta —como dice lleno de amargura— sigue «haciendo turismo» por las cárceles de Madrid, Ocaña, Alicante, hasta que en su indefenso organismo se declara una «tuberculosis pulmonar aguda» que se extiende a ambos pulmones, alcanzando proporciones tan alarmantes que hasta el intento de trasladarlo al Sanatorio Penitenciario de Porta Coeli resulta imposible[2]. Entre dolores acerbos, hemorragias agudas, golpes de tos, Miguel Hernández se va consumiendo inexorablemente. El 28 de marzo de 1942 expira a los treinta y un años de edad. Algún fervoroso admirador le ha atribuido aquel hermoso pareado (cuya autenticidad resulta más que dudosa), donde el poeta moribundo se despide cantando la fraternidad con los hombres y con todo lo más bello del universo:

¡Adiós, hermanos, camaradas, amigos:
despedidme del sol y de los trigos!

### *El despertar del poeta*

El hervidero de vida de la huerta orcelitana, su paisaje sen-

---

[1] Carta a Josefina Manresa, Madrid, 12-IX-1939. Publicada por Concha Zardoya, *Miguel Hernández. Vida y obra,* Nueva York, Hispanic Institute, 1955, página 39.

[2] Desde la segunda edición de *La poesía de Miguel Hernández,* Madrid, Gredos, 1971, págs. 55-56, publicamos una valiosa carta de don José María Pérez Miralles, el médico que atendió a Miguel Hernández, describiendo la enfermedad que acabó con su vida.

sual, rico de colorido y encanto, sacude poderosamente la sensibilidad del joven Miguel Hernández y le lanza a la aventura lírica. La naturaleza feraz y embriagadora le sugiere sus primeros versos y, trocada en material lírico vivo, le ofrece los temas de su obra primera. «El limonero de mi huerto influye más en mí que todos los poetas juntos.» Esto es verdad sólo en parte y en el momento de despegue inicial. Su espíritu esencialmente mimético necesitaba de maestros que de la mano le llevaran por los caminos de la poesía. Y en *Perito en lunas* (1933) estos guías son Góngora y algunos poetas del 27, como Rafael Alberti, Gerardo Diego y Jorge Guillén. Su caudaloso instinto poético se expresa contenidamente en el cauce estrecho de la octava real; nos da una visión transfigurada, luminosa, una recreación artística de lo rústico, vulgar y diario. Los objetos más irrelevantes se nos ofrecen a lentas pinceladas y en la plenitud de su halago sensorial; quedan iluminados estéticamente, se les somete a una manipulación poética que les arranca la intensa carga emotiva de que son portadores. ¡Qué transfiguración por la gracia del arte aquella granada trocada en «enciclopedia del rubor» o en «reales alcancías de collares»! ¿Y aquel gallo de corral que asciende a «arcángel tornasol, y de bonete dentado de amaranto», anunciador del día «en una pata alzado un clarinete»? Cierto que es juego estético, pirotecnia verbal, pero es también contemplación recreadora, iluminada, de la realidad cotidiana y campestre. Metáforas de gran osadía poética iluminan objetos menudos, insignificantes, los más comunes y vulgares de la vida diaria. Es muy hernandiano este culto a lo material y a lo humilde: toro, palmera, cohete, serpiente, barril, espantapájaros, surco, noria...

Pero ni siquiera en este libro, el más mimético y elaborado, el menos suyo, queda eclipsada por completo la voz auténtica del poeta. Es cierto, como ha dicho Francisco Umbral, que «toda la gran poesía de Miguel Hernández es un viaje de vuelta a su pueblo» y que *Perito en lunas* «marca precisamente el momento de mayor alejamiento de la naturaleza, de mayor desgarrón entre el hombre y su paisaje»[3]. Pero también es cierto que

---

[3] Francisco Umbral, «Miguel Hernández, agricultura viva», *Cuadernos Hispanoamericanos,* Madrid, núm. 230, febrero 1969, pág. 331.

aún en este libro se perciben lazos irrompibles con la naturaleza levantina y con lo popular. El poeta no busca temas de mitologías a la moda, sino de su terruño vivido, sentido y entrañable. La luna, el astro mítico, presidirá todo este mundo cruzado de irresistibles fuerzas mágicas que le prestan su misterio y encanto. Tal es su entrega al ambiente, al lugar, al momento, que ni aún en este libro, y a pesar de sus maestros, logra ser intemporal. Motivos contemporáneos prestan una honda vibración humana e histórica y demuestran que el poeta es plenamente sensible a su época. Las veletas de las iglesias se trasforman en «bákeres» aludiendo a Josefina Baker, la danzarina negra tan de moda en los años 30 (Veletas). ¡Qué vibración humana más intensa y qué sabor de actualidad cobra la octava «La granada»! Al verla abrirse en una explosión de color rojo no puede menos de evocarle hondas preocupaciones de gran actualidad por aquellas fechas, que también son esenciales a su cosmovisión lírica. Miguel Hernández no se detiene en una pintura impresionista de los objetos, no se satisface con captar el simple juego de luces y contornos, sino que busca su secreto lírico y humano. Los vocablos «tragedia», «rojos zares», «sangre», «revoluciones» son suficientes para arrancarle de un mundo puramente esteticista y evocar otro con más arraigo y trasfondo humano de actualidad. Otras veces será una noticia periodística (negros ahorcados) o una escena campestre el objeto en que se apoya para la metamorfosis transfiguradora. La metáfora nueva y renovadora, la estructura sintáctica desconocida, el vocabulario seleccionado son las pruebas más visibles de la voluntad de estilo plenamente al servicio de una intención estética. El mismo Miguel exhorta: «Guardad, poetas, el secreto del poema: esfinge.» Hay que arrancárselo como una corteza hasta llegar al «delicioso secreto»[4]. El poema habrá de ser algo hermético, misterioso, tendrá una estructura enigmática que sólo insinúe su secreto. Pero en Miguel Hernández esta fascinación primeriza por el hermetismo culto y minoritario se combina, como se ha notado, con la curiosidad suscitada por

[4] Véase este texto poco conocido publicado por Leopoldo de Luis, «Miguel Hernández. Dos páginas inéditas. Nota», *Papeles de Son Armadans*, XXIII (1961), págs. 339-344.

géneros populares como la adivinanza o el acertijo, que sin duda el poeta quiso resaltar al suprimir los títulos para dar las octavas a la imprenta. La misma faceta popular entra en juego cuando el poeta se convierte en juglar que con ayuda de un cartelón, un melón, una jaula, una campana y con sus gestos histriónicos ofrece a los públicos más variados recitales de las octavas y de otros poemas[5]. Agustín Sánchez Vidal ha captado e ilustrado la importancia de esta faceta para una completa comprensión del libro notando el deleite y satisfacción que podía suscitar a las gentes del campo:

> Podemos imaginar la sensación que les produciría el ver sus norias, palmeras, pitas, chumberas, pozos y otros objetos con los que mantenían trato diario, disfrazados ingeniosamente y relacionados entre sí de manera que, bien mirado llegaba a ser bastante convincente. El placer que se obtenía de recorrer aquellos laberintos era, evidentemente, el mismo que resultaba de adivinar un acertijo[6].

Esta poesía de pura extroversión, que siente el halago sensorial de la naturaleza exuberante y que se embriaga de sus perfumes de acacia, jazmines y azahar, le lleva lentamente al descubrimiento de sí mismo. En un principio es sexo y erotismo la obsesión. Mientras vergeles, rosales, higueras, racimos, azucenas, naranjas y frutas, constituyen toda una cadena de objetos cargados de simbolismo erótico, también la pureza halla su encarnación en los campos desnudos, espinos, olivos, blancos almendros, trigales, el cielo puro, ríos serenos sin espuma y hasta en el altísimo placer espiritual del trino de pájaros y ruiseñores. Miguel Hernández nos ofrece una visión dialéctica del paisaje convertido en campo de batalla donde se enfrentan la virtud y el vicio. Este paraíso de verdores enciende su sensualidad. En «ODA – a la higuera», el poeta embebido en lecturas barrocas, que canta emocionado la virginidad de

[5] Juan Cano Ballesta, *La poesía de Miguel Hernández*, Madrid, Gredos, 1978, pág. 30.

[6] Miguel Hernández, *Perito en lunas. El rayo que no cesa*, Ed. A. Sánchez Vidal, Madrid, Ed. Alambra, 1976, págs. 28 y 20-28.

María, siente su carne mordida por la tentación y se debate en esta angustiosa lucha entre lujurias y pureza, vicio y virtud.

El espectáculo taurino, que le fascina desde el principio por su despliegue espléndido de luz y colorido, como en «CORRIDA – real», va descubriéndole su transfondo trágico hasta desembocar en otro de sus temas más constantes: el del enfrentamiento entre vida y muerte, motivo central de toda su cosmovisión que tiene una temprana aparición en «CITACIÓN – fatal».

Por diversos caminos, en oleadas concéntricas, nos vamos acercando hacia una honda meditación de la vida. En «LA MORADA – amarilla» el paisaje castellano, contemplado con una perspectiva muy noventayochista, es vivido en toda su plenitud: visión teológica en pinceladas paisajísticas, honda meditación de angustiosos problemas, el hombre solo frente al más allá y su inquietante misterio. Un escalofrío sacude al poeta y al lector:

> El desamparo cunde —¡qué copioso!—
> al amparo —¡qué inmenso!— de la altura.

Horizonte sin fronteras, luz cegadora, límpida transparencia del páramo, silencio que habla, profundidad impresionante que crean en el hombre una profunda sensación de angustia viva. El paisaje nos va revelando su alma y la del poeta.

Frente a la naturaleza vivida a través de toda una tradición literaria está la gran urbe moderna tal como el poeta la percibe en el «Silbo de afirmación en la aldea». Miguel está buscando su propia voz y su actitud ante el mundo que le ha tocado vivir. Y este poema en torno a los viejos mitos culturales campo-ciudad le lleva a un planteamiento radical y dialéctico. Francisco Umbral ha notado cómo «Miguel se nos muestra desazonado en este poema, inquieto y con mala conciencia, perturbado por algo que quizá no acierta a razonar, y que atribuye a la estridencia de los metros y tranvías»[7]. El poeta de Orihuela se había entregado demasiado a un tipo de poesía culturalista: barroca, gongorina, calderoniana; una poesía que amenaza-

---

[7] F. Umbral, «Miguel Hernández, agricultura viva», págs. 332, 335.

ba con asfixiar su espontaneidad y su genio lírico. Como formula Umbral «la decisión personal de Miguel Hernández... es de liberación de la cultura y reconquista de la vida, como medio de identificación consigo mismo, con su origen...»[8]. El poeta se halla en un momento crucial. Desde ahora va a contar más el sentimiento, la experiencia viva, la naturaleza, que el ejercicio verbal y el juego estilístico, va a valer más la autenticidad de la vivencia que la brillantez cultista. Pero es que además este «Silbo» todavía escrito en la órbita de Ramón Sijé y de una ideología católica conservadora está cerrando todo un ciclo. Pronto las amistades madrileñas (Neruda, Alberti) y sus experiencias personales volcarán la balanza hacia actitudes más progresistas y de izquierdas.

Si a esto se añade el despertar del tema amoroso en unos deliciosos sonetos, tenemos ya las principales peripecias que preparan la afloración de un poeta sensible y vibrante que convierte en material lírico todo lo que toca.

*Herido por el rayo*

*El rayo que no cesa* nos revela por primera vez la inmensa herida de su interior poblado de inquietudes y presentimientos, encarnada en el fatídico cuchillo amenazante, símbolo preferido de su cosmovisión trágica, que marca en sangre hasta los temas del amor y de la vida:

> Un carnívoro cuchillo
> de ala dulce y homicida
> sostiene un vuelo y un brillo
> alrededor de mi vida.

La angustia y el desasosiego de estos versos iniciales nos recuerdan el momento de grave crisis ideológica y estética en que fueron escritos. A. Sánchez Vidal ha sabido dar el debido relieve a este hecho importantísimo para comprender los serios desequilibrios de contenido y de expresión de este libro.

---

[8] F. Umbral, *ibíd.*, pág. 340.

*El rayo que no cesa* fue escrito durante 1934 y 1935. «Pero son dos años muy distintos; si en el verano de 1934 está escribiendo para *El Gallo Crisis* y publica su auto sacramental, en el de 1935 su producción va destinada a *Caballo Verde para la poesía* y su teatro *(Los hijos de la piedra)* será el arranque de sus escritos de signo proletario»[9]. Aquel Miguel Hernández del que decía Neruda:

> Me traías...
> la escolástica de viejas páginas, un olor
> a Fray Luis, a azahares...

pronto se sentirá en Madrid internamente desgarrado entre dos modos muy dispares de ver la realidad y de entender la poesía. El acercamiento a Neruda, Alberti, Aleixandre, provoca hacia fines de 1935 casi la ruptura con Ramón Sijé y todo lo que él significaba: catolicismo, lecturas del Siglo de Oro, gusto clásico, conservadurismo político. Si el 8 de febrero de 1934 en *La verdad* de Murcia Miguel alentaba a los campesinos al trabajo y a no dejarse cegar por la «ira envidiosa» en un artículo que casi parece el panfleto de un partido agrario conservador, en el otoño de 1935 comienza a entender «la trágica vida del campesino», que trabaja diecinueve horas diarias y que cita indignado las palabras de un político que había declarado: «la gente del campo tiene para vivir suficientemente con tres pesetas»[10]. En año y medio ha tenido lugar un vuelco total de sus actitudes y en esta atmósfera de inestabilidad y de reconsideración permanente de las bases de su existencia han ido cuajando los sonetos de su ciclo de poesía amorosa. Esta insatisfacción y desequilibrio interno le empujarán a una búsqueda sin tregua: metáforas vegetales, campestres, imágenes metálicas, sangrantes, tiburones, toros, islas. El libro está henchido de tensiones, la pasión explota a veces, el sentimiento «rompe la cáscara» en expresión juanramoniana, la pena se clava como un aguijón y

---

[9] M. Hernández, *Poesías Completas,* Ed. de A. Sánchez Vidal, Madrid, Aguilar, 1979, pág. LXXVII. En adelante PC.

[10] Véase «Miguel Hernández y su amistad con Pablo Neruda (Crisis estética e ideológica a la luz de unos documentos)», en J. Cano Ballesta, *La poesía de M. H.,* págs. 296-299 y a lo largo del trabajo.

la desesperación la sobrecoge. De una poesía enraizada en la tradición literaria se va deslizando a las osadías de la expresión impura y desgarrada, de un amor místico-religioso se evoluciona a un erotismo pasional y carnal. Y es que en la raíz de esta crisis está el amor como experiencia y urgencia personal que choca con las barreras de una moral provinciana. Lo estético y lo ideológico se funden en esta crisis que conmueve toda la personalidad hernandiana.

En este libro es el amor el que adquiere acento de pasión atormentada, de anhelo insatisfecho, de ansias de posesión. De él fluye una poesía que cristaliza en sonetos de gran intensidad y estructura desigual, expresión de una experiencia amorosa honda, sincera e irreprimible. La fuente de todo es el amor humano, concreto, de Miguel Hernández, convertido en materia artística: el simbólico limón que le tira la amada y que abre en su pecho la herida de «una picuda y deslumbrante pena»; el beso dado a hurtadillas, tan deliciosamente evocado; el piropo entusiasta a la blancura y belleza de la mujer.

El poeta-pastor enamorado, ingenuo y sincero, se tiene que deshacer del complicado y artificioso lenguaje neogongorino para cantar con más intensidad su drama íntimo. La metáfora sencilla y el motivo campestre de su vida de pastor prestan al poema el sello de lo primigenio y le comunican su fuerza estremecedora: fauna, flora y todo el caudal metafórico de la poesía anterior, como limones, palomas, nardos, jazmín, arena, redil, racimo, trebolares, barro, buey, gavilán, algas, amapolas, sapos, juncos, toros, caracoles. Pero el Miguel tenso y desgarrado busca un verbo más enérgico e hiriente, y logra la tremenda fuerza expresiva que le prestan afiladas imágenes metálicas de arados, cuchillos y puñales. ¡Qué intenso simbolismo el de aquel arado que se divisa en la rojiza y aireada campiña de un sereno atardecer, pero que está clavado en las entrañas de la tierra como la pena que hurga en el pecho del joven enamorado!

> perfil de tierra sobre el cielo raso,
> donde un arado en paz fuera descansa
> dando hacia adentro un aguijón de pena.

El sentimiento amoroso y el lenguaje poético van ganando hondura en *El rayo que no cesa,* que resulta menos narcisista y logra una mayor vibración existencial hasta alcanzar fuerza explosiva y dimensiones trágicas. «La pena ya no es 'cardo', 'zarza', 'arado' (o no lo es solamente), que va hurgando en las entrañas; se convierte en 'huracán de lava', 'raya', 'carnívoro cuchillo'... Lo que antes era sólo melancolía de enamorado, sentimiento dolorido, es ahora pasión, explosión volcánica. El *crescendo* del sentimiento va hallando su resonancia en la imagen cada vez más directa y vigorosa»[11].

El toro simbólico, concentración de toda la cosmovisión hernandiana, está al fin de esta evolución. En varios sonetos encarna la «soledad impar» y el amor trágico, por no correspondido, que le hace estremecerse «con el dolor de mil enamorados». Hay un soneto magistral. «Como el toro he nacido para el luto», en que Miguel Hernández nos expone detenidamente este símbolo clave de su mundo poético. Como el toro, se siente destinado al luto y al dolor, fuerte y viril, de «corazón desmesurado», indomable y sincero, para cerrar el soneto acentuando una vez más el destino trágico de ambos, unidos eternamente en la poesía y en la cosmovisión hernandiana:

> y dejas mi deseo en una espalda,
> como el toro burlado, como el toro.

### *Aires revolucionarios*

El joven poeta provinciano, autodidacta, tímido y desconocedor de los movimientos literarios de la capital, se halla expuesto en Madrid a toda clase de influencias. En su ingenuidad, ante los éxitos de amigos ilustres, se lanza a la experimentación lírica, que tanto habría de enriquecer toda su creación posterior. Pablo Neruda, hacia 1935 cónsul de Chile en Madrid, es el primero que adivina el acento humano, las hondas raíces telúricas que sustentan su creación lírica, y le ofrece su amistad y consejo. Vicente Aleixandre regala a Miguel su libro

---

[11] J. Cano Ballesta, *La poesía de M. H.*, pág. 126.

*La destrucción o el amor,* recién salido a la luz pública, y se convierte también en maestro de Miguel, que, fascinado, se lanza a crear una poesía más ambiciosa y vanguardista. Neruda y Aleixandre le dan coraje para superar su timidez, romper con las formas poéticas tradicionales y dejar a su pasión desbordarse y a su exaltación buscar formas de expresión más apropiadas. Desde este momento su hondo sentir poético comienza a fluir por un cauce ancho y sin contenciones.

Juan Ramón Jiménez, en un artículo que fue la consagración definitiva de Miguel Hernández, constata en la primavera de 1936: «... la áspera belleza tremenda de su corazón arraigado rompe el paquete y se desborda como elemental naturaleza desnuda. Esto es lo excepcional poético» *(La Voz,* Madrid, 17 de abril de 1936). El sentimiento no adulterado y el esfuerzo por proyectarlo en su máxima intensidad es la suprema preocupación de la nueva estética y tiene prioridad sobre la conciencia de estilo, de contención, de control. El joven poeta de Orihuela se pone a la cabeza del movimiento renovador. Así se lanza a escribir poemas como «Oda entre sangre y vino a Pablo Neruda», en que ya no sólo trabaja con material noble, sino que se vuelve a cualquiera de los objetos, aun los más abyectos, y los eleva al rango de imagen lírica. El poema habrá de ser una proyección total de la existencia, no sólo de sus aspectos más luminosos; se busca un humanismo más integral.

Pero esta efervescencia exterior de modas y escuelas no ahoga el venero auténtico y esencial de donde brota su inspiración. Un número reducido de temas muy sentidos le sugieren prodigiosos poemas. La vida, el amor y la sangre, como potencia vital e irresistible impulso sexual, son dominantes en este momento «impuro» de creación. Esa sangre, «siempre esbelta y laboriosa», enriquecida por el vigor del vino, se convierte en dinamismo irreprimible:

> ...vibra martillos, alimenta fraguas,
> besos inculca, fríos aniquila,
> ríos por desbravar, potros esgrime
> y espira por los ojos, los dedos y las piernas
> toradas desmandadas, chivos locos.

Arrastra en su torrente arrollador mil elementos del reprimido mundo del subconsciente: dedos, instintos sexuales, temores, presagios trágicos. En «Mi sangre es un camino» el ansia feroz que agita y enloquece —«con sus chivos y sus toros suicidas»— es expansión ciega que busca prolongación en la posteridad:

> Necesito extender este imperioso reino,
> prolongar a mis padres hasta la eternidad.

Es una vuelta a las esferas subconscientes, a los instintos primarios con sus exigencias y su dinamismo arrollador.

Pero la sangre, símbolo de vitalidad desbordante, lleva en sí misma un germen destructor, arrastra irreparablemente hacia un destino trágico. «Sino sangriento», sin duda uno de sus mejores poemas, nos ofrece concentradas las más obsesionantes concepciones de la cosmovisión trágica hernandiana. Imágenes metálicas, cortantes, se reiteran para expresar esa fuerza ciega que empuja al poeta «a dar en la cornada» de su sino:

> Vine con un dolor de cuchillada,
> me esperaba un cuchillo a mi venida,
> me dieron a mamar leche de tuera,
> zumo de espada loca y homicida...

Se siente perseguido, sitiado: «todas las herramientas en mi acecho». Pero la causa es más profunda, el enemigo es insoslayable, va dentro. Es su propia sangre, «fatal torrente de puñales», que libera y aprisiona, que atropella y despedaza, y que le arrastra a su destino trágico e inevitable: «espuma, viento y nada». Después de un intento desesperado e inútil de rebelión se entrega impotente a la «estrella ensangrentada», que preside su existencia.

Esta rebelión titánica contra el destino y la muerte ya había suscitado poemas como la tremenda elegía a la muerte de Ramón Sijé. El llanto inicial desemboca en una actitud de revuelta absoluta contra el destino. Enloquecido de dolor quisiera escarbar la tierra a dentelladas y llegar hasta sus entrañas para rescatar al amigo inolvidable:

Quiero minar la tierra hasta encontrarte
y besarte la noble calavera
y desmordazarte y regresarte.

*La poesía, arma de lucha*

Miguel Hernández cree en la voluntad transformadora del hombre. El agitado ambiente de la República, con su vida azarosa de controversias y luchas apasionadas, le arrastra a la creación lírica de testimonio y denuncia. Los acontecimientos van despertando en él la conciencia de responsabilidad colectiva; comprende el poder transformador de la palabra, su posible función social y política. El poema «Sonreídme», brotado de esta fe arraigada, adopta un tono combativo y rebelde. Es la primera muestra que nos ofrece Miguel de poesía comprometida, «profética». La palabra halla un cauce ancho por el que impetuosamente se despeña la furia revolucionaria, la rebelión anticlerical y anticapitalista. Se canta y proclama la solidaridad de todos los oprimidos en ritmos tempestuosos y agresivos:

porque para calmar nuestra desesperación de toros castigados
habremos de agruparnos oceánicamente.

Pero es el vendaval de la contienda civil el que llega a sacudir poderosamente al poeta y al hombre. Como confiesa en la nota previa a *Teatro en la guerra*, ésta le enseña que «todo teatro, toda poesía, todo arte, ha de ser, hoy más que nunca, un arma de guerra». La experiencia bélica se va a convertir desde este momento en inagotable cantera: «Con mi poesía y con mi teatro, las dos armas que más relucen en mis manos con más filo cada día, trato de hacer de la vida materia heroica frente a la muerte.» En uno de sus artículos señala con el dedo a los artistas y escritores que cierran sus ojos a la tremenda realidad que los rodea y se sienten ajenos a ella, él proclama, en contra, que no hay tema artístico más sobrecogedor y digno que esta guerra. En el verano de 1937 Miguel Hernández firmó la «Ponencia colectiva», redactada en Valencia, tras largas discusiones, por un grupo de intelectuales republicanos. Se publicó en *Hora de España*, núm. 8, agosto de 1937. Todos ellos rechazan un arte que sea sólo formalmente revolucionario. A una «simbología revolucionaria» prefieren la expresión de una «realidad revolucionaria». La función del artista será, según ellos, hallar una expresión que responda a las urgencias del momento. Es lo que hace el poeta a todo lo largo de *Viento del pueblo:* cantar los dolores y aspiraciones del pueblo en guerra con el cual él se identifica totalmente. Arte y vida, poesía e ideales humanos, poeta y pueblo, quedan fundidos para siempre en aquellos poemas, expresión de un momento trágico y extraordinario. Miguel Hernández siente sobre sus hombros el peso de una gran misión: «Los poetas somos viento del pueblo: nacemos para pasar soplando a través de sus poros y conducir sus ojos y sus sentimientos hacia las cumbres más hermosas», confiesa en la dedicatoria de *Viento del pueblo.* Y así surgen los poemas de este libro con su nota dinámica, su tono épico y su febril entusiasmo. El siguiente texto, escrito por la mano del poeta en un pequeño trozo de papel (y puesto a mi disposición por A. Sánchez Vidal) expresa de modo bien definido lo que Miguel Hernández considera su función en la guerra:

> Lucho porque la revolución no sea una borrachera que precipite España en un caos de atropellos y venalidades – amo una mística en el trabajo, en las artes – la poesía en mí es un arma que dejo en las manos del pueblo – son muchos los problemas que amanecen cada día y a los poetas toca resolverlos por la palabra, que es el principio de la obra – ¿y para eso tanta sangre caída y cayendo? – no vendo mis alegrías y mis penas: no me es posible hacer el oficio del mercader con ellas – ¿Anda el solar decaído? De poetas es levantarlo, elevarlo, crearlo inventarlo – ¿no tenéis sangre en las venas? les grita... El poeta conmociona como nadie y revoluciona como nadie – Nunca me saldré de mi destino de poesía, que es el destino del pueblo, soldados, como una piel, como el traje, fácil de confundir con la tierra, llevar con la alegría de conocer en lo más hondo la vida, los sufrimientos.

De los dos libros de poesía en la guerra es *Viento del pueblo* el de tono más viril y apasionado. Enardecido por los magnos acontecimientos, escribe poemas vigorosos y entusiastas impregnados de la más intensa vibración humana y el espíritu bélico más ardiente. «Vientos del pueblo me llevan» y «Juramento de la alegría» son los más significativos en esta cuerda. El optimismo, la esperanza, el júbilo de un porvenir mejor lo embarga:

> Crepúsculo de los bueyes,
> está despuntando el alba.

Poeta, soldado y esposo, su espíritu vibra, se enardece y agiganta hasta dar lo mejor de sí. Motivos esenciales de su cosmovisión lírica se encarnan en poemas intensos, que arrancan del alma, como la «Canción del esposo-soldado». Pero también por momentos sabe abandonar estos tonos más o menos épicos para convertirse en «ruiseñor de las desdichas» y denunciar con voz apagada y entrañable las angustias de su pueblo, la trágica suerte del «niño yuntero» que se le clava en el corazón «como una grandiosa espina». La vivencia de la necesidad, el hambre, la pobreza, le arrancan el grito de protesta y le convierten en el poeta del pueblo y en el corifeo de la poesía social. Su espíritu noble, su solidaridad con el necesitado le llevan a altísimos momentos de vibración humana que buscan, y casi siempre hallan, una formulación lírica adecuada. Hay críticos que han considerado este libro como el más auténtico y sincero del poeta de Orihuela. Francisco Umbral dice:

> Miguel Hernández estaba necesitando escribir a partir de un hecho grande y fuerte, importante, para llegar a su conquista de la realidad, a su nombrar verdadero, a su abrazo con la naturaleza y la vida. Cuando el poeta todavía era dos poetas, el de la naturaleza y el de la cultura, estalla la guerra española, se produce el gran hecho, y el hombre Miguel Hernández se reúne consigo mismo, en ese acendramiento tanto personal como colectivo que produce automáticamente una guerra. Ha desaparecido el conflicto, la dualidad, la duda. Miguel Hernández es ya uno y sólo en función de la lucha... El poeta se ha salvado[12].

También se ha dicho que «cuando se cae en el mero arte de propaganda, Hernández se convierte en un poeta casi tan

---

[12] F. Umbral, «Miguel Hernández, agricultura viva», pág. 341.

inauténtico como el de su etapa católica»[13]. Creo que en su gran mayoría estos poemas logran una fuerza extraordinaria y si tienen deslices desafortunados también a veces se elevan a cimas inusitadas.

En *El hombre acecha*, el fuego y ardor juveniles se van serenando, apagando ante la realidad brutal del curso de la guerra. La voz también se apaga progresivamente, el lenguaje es más sobrio, íntimo; hay menos retórica y menos despliegue de colorido. El desenlace se presiente con toda su tragedia. El poeta va profundizando en la realidad de su mundo, va conociendo mejor al hombre, que rememora sus garras y se convierte en tigre. Las manos, que eran en *Viento del pueblo* instrumentos creadores, fuentes de riqueza y bienestar, son aquí simples garras de odio, armas de destrucción.

> El poeta radicalmente humano que es Miguel Hernández, en su poesía de guerra y posguerra se libera de los incentivos sensoriales del mundo exterior para emborronar sus poemas con las densas manchas rojas y negras —los colores más insistentes— de una inmensa tragedia humana. El hombre suspicaz, en acecho, con la garra afilada, protagonista de este mundo titánico con sus trasfondos oscuros y presa del odio más feroz, nos evoca irresistiblemente creaciones goyescas como *El coloso o el pánico*, en que la figura humana se agiganta tanto en su monstruosidad que eclipsa los fondos paisajísticos. El hombre con sus inagotables yacimientos de odio que desborda y todo lo salpica, no deja ver el paisaje, o éste desempeña funciones totalmente subordinadas a tema tan obsesionante. Al respecto podemos considerar muy representativa la «Canción primera» de *El hombre acecha*, en que el campo, en una escena de tremendo tragicismo, se retira horrorizado ante los humanos. Si el paisaje y la naturaleza mantienen su presencia es sólo para contrastar su inocencia con el odio concentrado y las garras afiladas de los hombres:
>
> Se ha retirado el campo
> al ver abalanzarse
> crispadamente al hombre[14].

---

[13] A. Sánchez Vidal en PC CXXXVII.

[14] J. Cano Ballesta, «Paisaje y mundo interior», *Puerto,* Universidad de Puerto Rico, núm. 3 (abril-junio 1968), págs. 33-41.

Aquí ya no habla Miguel únicamente del enemigo. No es ya sólo el combatiente del bando contrario —aunque lo incluye preferentemente— quien desciende a la bestia. Para él tenía en *Viento del pueblo* metáforas feroces: «monstruos», «fieras», «hienas», «liebres», «podencos». Ahora, con terrible amargura, las aplica al hombre en general. ¿Y es que faltaban pruebas después de tanta sangre derramada? La evolución de este tipo de metáfora deshumanizadora que rebaja al hombre al nivel de la fiera es un índice muy revelador del proceso íntimo que ha tenido lugar en el alma de Miguel Hernández, quien en sus últimos libros se entrega a una larga meditación sobre el hombre y su sed de sangre, sus instintos feroces, sus ansias de destrucción. De poeta de una clase social combatiente se va convirtiendo en vate universal amargamente desilusionado del hombre. Su último libro, el *Cancionero,* sigue esta tónica y respira esta filosofía triste, desencantada, amarga, en vista de los abismos de odio que el corazón humano es capaz de albergar.

Hay un tema que cobra una importancia desacostumbrada y que, partiendo de la abundante tradición noventayochista, dada la trayectoria cada vez más sangrante y trágica de la historia española, llega a arrancarle a Miguel Hernández en plena guerra poemas impresionantes, proyección del «me duele España». «Llamo al toro de España» es una magnífica personificación de la patria en el conocido símbolo del toro. En un dinámico *crescendo* invita al toro volcánico a despertar, levantarse, desencadenar sus furias, revolverse, abalanzarse «con decisión de rayo». Le invita a una rebelión total, la única que le salvará, para terminar con aquel grito desgarrador:

> Sálvate, denso toro de emoción y de España.

Es sin duda un poema de los más intensos y apasionados escritos en torno al tema tan esencial y entrañable de España.

En medio de los horrores de la guerra, de los ríos de sangre y de odio, de las más innobles pasiones desencadenadas, Miguel Hernández cierra el libro con un atisbo de luz y esperanza:

El odio se amortigua
detrás de la ventana.
Será la garra suave.
Dejadme la esperanza.

*En la oscuridad de la prisión*

En la cárcel, privado del goce sensorial del mundo exterior, Miguel se entrega a una honda meditación de los acontecimientos de los últimos años y del agrio y áspero mundo que le ha tocado vivir. Busca el modo de dar expresión a sus estados interiores y crea una poesía vibrante de emoción y de hondo contenido. Darío Puccini considera el *Cancionero y romancero de ausencias* la más auténtica y madura creación del poeta de Orihuela:

> Sigo pensando que el proyecto o ideal de poesía al que tendía Miguel Hernández en el punto crucial de su verdadera madurez de escritor y de hombre (una madurez trágicamente truncada por una muerte prematura), está contenido por entero en este diario íntimo —deliberadamente sin márgenes e ininterrumpido— que es su inacabado *Cancionero y romancero de ausencias.* Un diario íntimo con las ventanas abiertas de par en par sobre el mundo[15].

La luminosidad y abigarrado colorido de libros anteriores cede el paso a la lobreguez y a un par de colores tristes y trágicos; sus ojos ya no se detienen en la superficie de los objetos, sino que van hasta el trasfondo turbio de la realidad y del corazón humano:

En el fondo del hombre
agua removida.

Concentrado en su intimidad, las largas horas de la prisión van quemando recuerdos y vivencias, entusiasmos y esperanzas, y nos dejan estos poemas de voz apagada, en que se rumian los

[15] D. Puccini, «El último mensaje de Miguel Hernández», *Revista de Occidente,* Madrid, 139, octubre 1974, pág. 107.

temas más obsesionantes de su mundo lírico: el amor y dolor de la ausencia, la inquietud y desconfianza, la sospecha creada por la guerra fratricida y las pasiones turbias que ha despertado en el hombre. Sólo el sueño logra apaciguarlo para que no salte

> con el cuchillo de odio
> que entre sus dientes late.

La alegría del nacimiento del primer hijo es breve, y el dolor de su pérdida, unos meses después, eclipsa todo el gozo precedente. Pero el acontecimiento ha inspirado una serie de poemas de los más conmovedores que han brotado de su pluma. Se trata del típico «Hijo de la luz y de la sombra». Fuerzas cósmicas presiden el momento de la generación: la noche, culminación del sueño y del amor, proyectando sobre los hombres su «avaricioso anhelo de imán y poderío», volcando los cuerpos y fundiéndolos en un solo bloque, esa incandescente noche

> pide que tú y yo ardamos fundiendo en la garganta,
> con todo el firmamento, la tierra estremecida.

Día y noche son los dos grandes símbolos, las fuerzas viril y femenina de la fecundación, esposo y esposa. El acto sexual es cantado en su noble realidad, sin eufemismos ni platonismos, como acontecimiento de raíces telúricas, como exigencia de fuerzas cósmicas, bajo el común estremecimiento de tierra y firmamento. Es un ardiente amor carnal, pero que no se complace en una limitada sensualidad hedonista, sino que se proyecta hasta alcanzar trascendencia cósmica. La esposa es una criatura de carne. Miguel está ya muy lejos del vaporoso ideal femenino romántico, e incluso de la amada de un Antonio Machado creada en el ilusorio mundo del ensueño. Tampoco se parece a la poesía amorosa de Pedro Salinas en *La voz a ti debida,* todavía demasiado intelectual. El amor es choque de cuerpos, unión sexual como exigencia cósmica y rito mágico provocado por fuerzas siderales.

El poeta adopta un lenguaje sentencioso, axiomático; se vuelve un poco filósofo y reflexiona sobre la brevedad de la vida, lo irremediablemente trágico de la guerra, o se entrega a sus visiones febriles, exaltadas, y escribe poemas lúgubres como murales desgarradores, de manchas negras y rojas, pintándonos un mundo desilusionado y amargo, exaltado y febril: el odio alarga su llama, el corazón escupe hacia afuera las «espumas negras» del ansia de matar, el hombre se convierte en pura garra, sus voces son lanzas o bayonetas, sus bocas son puños, sus pechos muros, y despierta de su dormir «con un tigre entre los ojos». Aun las más bellas cosas, las azucenas, sienten ansias de matar, las canciones sólo aconsejan

> devorarse ser a ser
> destruirse piedra a piedra.

¿Qué es lo que ve su fantasía febril y apasionada? En frases entrecortadas va pintando los elementos exteriores en que hallan adecuada encarnación sus estados interiores, ese mundo de miedo, sospecha, odio, esterilidad:

> Bocas de ira.
> Ojos de acecho.
> Perros aullando.
> Perros y perros.
> Todo baldío.
> Todo reseco.
> Cuerpos y campos,
> cuerpos y cuerpos.
> ¡Qué mal camino,
> qué ceniciento!

«Esas bocas, ojos, perros, caminos, campos baldíos y resecos han dejado de ser meros motivos pictóricos de un cuadro para transfigurarse en las piezas simbólicas de ese tremendo y desquiciado paisaje humano tal como se proyecta en los sueños de un encarcelado»[16].

Tampoco podía faltar el tema de la prisión. El poeta se contempla en sus tinieblas, encadenado, «comiendo pan y cuchillo» (odio), privado de todo lo más hermoso de la vida:

---

[16] J. Cano Ballesta, «Paisaje y mundo interior», pág. 40.

Todo lo que significa
golondrinas, ascensión,
claridad, anchuras, aire,
decidido espacio, sol,
horizonte aleteante,
sepultado en un rincón.

Y no comprende su tragedia cuando piensa en el motivo de su prisión:

Sólo por amor odiado,
sólo por amor.

El tema del ave, símbolo de libertad, sobreabunda en los poemas escritos en la cárcel. Cual ave quiere volar sin trabas, pero a veces nota que le faltan las alas. Aunque proclama «sólo quien ama vuela» y trata de poner «valor y olvido» donde faltan las alas, al fin tiene que constatar amargamente que no basta con solo eso: «Los brazos no aletean.» Sus alas, como a un nuevo Ícaro, se le han quemado, hasta hacerle caer en las oscuridades de la prisión. Ésta es la trágica moraleja de «Sepultura de la imaginación», de aquel albañil que quería construir un palacio con «piedras de plumas» y «muros de pájaros». Aliento no le faltaba. Todo el idealismo entusiasta y delirante del joven poeta-soldado halla su expresión intensa en este poema, de final tan amargo:

...Pero la piedra cobra
su torva densidad brutal en un momento.
Aquel hombre labraba su cárcel. Y en su obra
fueron precipitados él y el viento.

El que tanto amaba la luz se siente en la más triste oscuridad:

Yo creí que la luz era mía
precipitado en la sombra me veo.

Sepultado en la sombra, sin cielo, sin astros, ¿qué ve el triste encarcelado? Visiones terribles, pesadillas de odio, pasiones, rencores y dientes afilados. La angustia le sobrecoge, se siente sin alas para elevarse, la risa se hunde. ¡Qué horrible pesadilla, qué febriles fantasías, qué sueños tan aterradores!

> Sólo el fulgor de los puños cerrados,
> el resplandor de los dientes que acechan.
> Dientes y puños de todos los lados.

Así cerraríamos la inmensa mancha de colores negros y rojos, amargos y trágicos, de esta selección de impresionantes poemas. Pero, no. El poeta humanísimo que es Miguel Hernández no podía terminar así, sin dejar abierto el balcón a la esperanza:

> Pero hay un rayo de sol en la lucha
> que siempre deja la sombra vencida.

Ésta es su poesía. Del rico venero de la vida sorbe Miguel Hernández las aguas cristalinas de la alegría o con más frecuencia las revueltas y turbias del dolor, la incomprensión, la angustia de la ausencia, la inquietante amenaza del destino, las salpicaduras del odio y la sangre, todo un mundo sobrecogedoramente oscurecido de ansiedades y sombras trágicas. Le arranca a la vida sus temas más entrañables y los canta con brío, con un tono de autenticidad y sinceridad, sin rubor de airear demasiado su intimidad, con pasión e intimidad arrebatadora.

Si dejamos a un lado a Unamuno, será difícil hallar a un poeta que logre un lirismo tan intenso. La experiencia diaria, el acontecimiento histórico, la anécdota familiar, la preocupación social y política, sus esperanzas, temores o angustias se proyectan en poemas que conmueven por su humanísimo estremecimiento, su actualidad y tono sincero. Su creación lírica podría haber resultado muy circunstancial y caduca si no llegara a sacudir las más íntimas fibras del corazón humano. Si aún hoy día goza de gran actualidad es porque —según formuló acertadamente Gabriel Celaya— «supo cómo llevar a su poesía la realidad del momento, que, paradójicamente, dura más que la poesía no-temporal».

# Esta edición

Muchos y valiosos esfuerzos se han hecho para fijar con una sólida base crítica los textos de la obra que tenemos entre manos: Leopoldo de Luis, Jorge Urrutia, Darío Puccini, José Carlos Rovira, Vicente Ramos, Marie Chevallier y Antonio Odriozola entre otros. Agustín Sánchez Vidal ha realizado una decisiva labor de síntesis cotejando detalladamente versiones aportadas por diversos críticos con manuscritos o copias mecanografiadas del propio Miguel Hernández para llegar a una razonada fijación de los textos. Para esta edición he adoptado, básicamente, los textos tal como aparecen en *Poesías Completas* (Madrid, Aguilar, 1979) de A. Sánchez Vidal. Sólo en una decena de casos no me ha resultado convincente la versión de este crítico y he adoptado una solución diferente, que señalo y justifico en las notas.

# Bibliografía

A) Obras de Miguel Hernández

*Perito en lunas,* Murcia, La Verdad, Colección Sudeste, 1933.

*Representaciones-Quién te ha visto y quién te ve y sombra de lo que eras,* Madrid, Cruz y Raya, 1934.

*El rayo que no cesa,* Madrid, Héroe, 1936.

*El rayo que no cesa,* 7.ª ed., Madrid-Buenos Aires, Espasa-Calpe, 1969.

*Viento del pueblo,* Valencia, Socorro Rojo Internacional, 1937.

*Viento del pueblo,* Buenos Aires, Lautaro, 1957.

*Teatro en la guerra,* Valencia, Nuestro Pueblo, 1937.

*El labrador de más aire,* Valencia, Nuestro Pueblo, 1937.

*El labrador de más aire,* Madrid, Aguilar, 1952.

*Dentro-de luz y otras prosas,* Madrid, Arión, 1958.

*Cancionero y romancero de ausencias,* Buenos Aires, Lautaro, 1958.

*Los hijos de la piedra,* Buenos Aires, Quetzal, 1960.

*Obras Completas,* ed. E. Romero, Buenos Aires, Losada, 1960 (OC).

*Poesía y prosa de guerra y otros textos olvidados,* ed. J. Cano Ballesta y R. Marrast, Madrid, ed. Ayuso, 1977 (PPG).

*Teatro completo,* ed. V. Pastor Ibáñez, R. Rodríguez Macia y J. Oliva, Madrid, Ayuso, 1978.

*Poesías Completas,* ed. A. Sánchez Vidal, Madrid, Aguilar, 1979, (PC).

*El hombre acecha,* Primera edición de 1939 (Facsímil), ed. L. de Luis y J. Urrutia, Santander, ed. de la Casona de Tudanca, 1981.

*Obra poética completa,* ed. L. de Luis y J. Urrutia, Madrid, Alianza Editorial, 1982 (OPC).

*El hombre acecha, Cancionero y romancero de ausencias,* ed. L. de Luis y J. Urrutia, Madrid, ed. Cátedra, 1984 (HA).

B) Estudios

Balcells, José María, *Miguel Hernández, corazón desmesurado,* Barcelona, Dirosa, 1975.

Bravo Morata, Federico, *Miguel Hernández,* Madrid, Fenicia, 1979.
Cano Ballesta, Juan, *La poesía de Miguel Hernández,* Madrid, Gredos, reimpresión de la 2.ª edición, aumentada, 1978.
— «Miguel Hernández y su amistad con Pablo Neruda (Crisis estética e ideológica a la luz de unos documentos)», *La torre,* Universidad de Puerto Rico, núm. 60, abril-junio de 1968, págs. 101-141.
Cano Ballesta, J., Buero Vallejo, A., etc., (Volumen colectivo.) *En torno a Miguel Hernández,* Madrid, Castalia, 1978.
Claramunt López, Fernando: *Azorín, Miró y Hernández, ante el toro,* Alicante, Instituto de Estudios Alicantinos, 1981.
Couffon, Claude, *Orihuela et Miguel Hernández,* París, Centre de Recherches de l'Institut d'Études Hispaniques, 1963.
*Cuadernos de Ágora* (dedicado a M. H.), Madrid, números 49-50, noviembre-diciembre, 1960.
Chevallier, Marie, *L'homme, ses oeuvres et son destin dans la poésie de Miguel Hernández,* París, Éditions de l'Institut d'Études Hispaniques, 1974.
Díez de Revenga, Francisco Javier, y De Paco, Mariano, *El teatro de Miguel Hernández,* Murcia, Cuadernos de la Cátedra de Teatro de la Universidad de Murcia, 1981.
*La Estafeta Literaria,* Ateneo de Madrid, núm. 366 (consagrado en parte a M. H.), 25 de marzo de 1967.
*Europe,* París, núms. 401-402 (extraordinario sobre M. H.), 1962.
Guereña, Jacinto-Luis, *Miguel Hernández-Poesía,* Madrid, Narcea, 1973.
Guerrero Zamora, Juan, *Miguel Hernández, poeta,* Madrid, El Grifón, 1955.
Ifach, María de Gracia, *Miguel Hernández, rayo que no cesa,* Barcelona, Plaza & Janés, 1975.
— (Volumen colectivo): *Miguel Hernández* (El escritor y la crítica), Madrid, Taurus, 1975.
— (Volumen colectivo): *Homenaje a Miguel Hernández,* Barcelona, Plaza & Janés, 1975.
*Ínsula,* Madrid, núm. 168 (extraordinario sobre M. H.), noviembre, 1960.
*Litoral,* Revista de la Poesía y el Pensamiento, Torremolinos, números 73-75 (1978), número monográfico sobre «Miguel Hernández, vida y muerte».
Macht de vera, Elvira, *Miguel Hernández,* Caracas, Universidad de Venezuela, 1973.
Manresa, Josefina, *Recuerdos de la Viuda de Miguel Hernández,* Madrid, Ediciones de la Torre, 1980.

Martínez Arenas, José, *De mi vida – Hombres y libros,* Valencia, Semblanzas y comentarios, 1963, págs. 158-191.

Martínez Marín, Francisco, *Yo, Miguel, Biografía y testimonios del poeta Miguel Hernández,* 1.ª parte (hasta 1936), Orihuela, Colección Orospeda, 1972.

Molina, Manuel, *Miguel Hernández y sus amigos de Orihuela,* Málaga, Colección Guadalhorce, 1969.

— *Amistad con Miguel Hernández,* Alicante, Colección Silbo, 1971.

— *Un mito llamado Miguel,* Alicante, Silbo, 1977.

Muñoz Hidalgo, Manuel, *Cómo fue Miguel Hernández,* Barcelona, Planeta, 1975.

Poveda, Jesús, *Vida, pasión y muerte de un poeta: Miguel Hernández,* México, Oasis, 1975.

*Promesse,* núm. 5 (especial sobre M. H.), Burdeos, 1962.

Puccini, Darío, *Miguel Hernández, Vida y poesía,* Buenos Aires, Losada, 1970.

— «Problemi testuali e varianti nell opera poetica di Miguel Hernández», Roma, Società Filologica Romana, 1966, págs. 205-243.

*Puerto,* Revista de la Facultad de Estudios Generales, Universidad de Puerto Rico, núm 3, abril-junio, 1968 (consagrado en parte a M. H).

Ramos, Vicente, *Miguel Hernández,* Madrid, Gredos, 1973.

Ramos, Vicente, y Molina, Manuel, *Miguel Hernández en Alicante,* Alicante, Colección «Ifach», 1979.

Romero, Elviro, *Miguel Hernández, destino y poesía,* Buenos Aires, Losada, 1968.

Rovira, José Carlos, *«Cancionero y Romancero de ausencias» de Miguel Hernández. Aproximación crítica,* Alicante, Instituto de Estudios Alicantinos, 1976.

Ruiz-Funes, Manuel, *Algunas notas sobre «El rayo que no cesa» de Miguel Hernández,* Alicante, Instituto de Estudios Alicantinos, 1972.

Sánchez Vidal, Agustín, *Miguel Hernández en la encrucijada,* Madrid, Cuadernos para el diálogo, 1976.

— *Miguel Hernández, Perito en lunas y El rayo que no cesa,* Madrid, Clásicos Alhambra, 1976.

Sorel, Andrés, *Miguel Hernández, escritor y poeta de la revolución,* Bilbao, Zero, 1977.

*Symposium,* Syracuse University, Julio 1968 (extraordinario sobre la Generación del 36).

Zardoya, Concha, *Miguel Hernández. Vida y obra,* Nueva York, Hispanic Institute, 1955.

*Perito en lunas*
*(1933)*

## (TORO)[1]

¡A LA GLORIA, a la gloria toreadores![2]
La hora es de mi luna menos cuarto.
Émulos imprudentes del lagarto,
magnificaos el lomo de colores.
Por el arco, contra los picadores,
del cuerno, flecha, a dispararme parto.
¡A la gloria, si yo antes no os ancoro
—golfo de arena—, en mis bigotes de oro!

## (PALMERA)

ANDA, columna; ten un desenlace[3]
de surtidor. Principia por espuela.

---

[1] Para facilitar la lectura de estas octavas de *Perito en lunas,* dado su carácter de acertijo o adivinanza, antepongo entre paréntesis los títulos que el mismo Miguel Hernández dictó a Federico Andreu Riera. Éste los fue escribiendo en su ejemplar, donde aún los conservaba, según testimonio oral del mismo al autor en Orihuela, el 11 de enero de 1960. Estos títulos de las 42 octavas los di a conocer por primera vez en *La poesía de Miguel Hernández* (1962), pág. 57, y se encuentran en las sucesivas ediciones o reimpresiones. Creo que son muy valiosos para ayudar a descifrar sus secretos y para apreciar debidamente la agudeza y osadía de sus imágenes.

[2] Es el toro quien invita a los toreros a la gloria de la corrida mientras anuncia su próxima muerte («mi luna menos cuarto»). Como observa A. Sánchez Vidal, la metáfora es de doble sentido: «cuarto de hora» y «cuarto de luna» por la forma de los cuernos. Por sus trajes de luces llenos de colorido y por su osadía llama a los toreros «émulos imprudentes del lagarto». Los versos 5-6 se entienden con sólo dar un orden lógico a su forzada sintaxis gongorina: «Parto, [como] flecha, a dispararme por el arco del cuerno, contra los picadores.»

[3] En una cadena de metáforas visuales el poeta se dirige a la palmera cuyo

Pon a la luna un tirabuzón. Hace
el camello más alto de canela.
Resuelta en claustro viento esbelto pace,
oasis de beldad a toda vela
con gargantillas de oro en la garganta:
fundada en ti se iza la sierpe, y canta.

## (GALLO)

LA ROSADA, por fin Virgen María[4].
Arcángel tornasol, y de bonete
dentado de amaranto, anuncia el día,
en una pata alzado un clarinete.
La pura nata de la galanía
es este Barba Roja a lo roquete
que picando coral, y hollando, suma
«a batallas de amor, campos de pluma».

---

tronco y palmas abiertas describe como columna que acaba en surtidor. Por su altura parece como si quisiera colgarle a la luna un tirabuzón. «Las jorobas de color canela en que termina ese tronco (resultado de los sucesivos cortes de las palmas) la convierten en "camello", sobre todo si se ligan al campo asociativo de "oasis"» (v. 6), observa A. Sánchez Vidal en PC 728. Volviendo a una imagen utilizada en la octava II las palmas se abren formando una bóveda o «claustro». Se doblegan como si estuvieran paciendo. Se elevan en el desierto como «oasis de beldad» en toda su plenitud («a toda vela», usando un término náutico). Los racimos de dátiles le cuelgan como «gargantillas de oro». Por fin, el viento choca contra la palmera produciendo un silbido de sierpe (J. Cano Ballesta, *La poesía de M. H.*, pág. 113).

[4] El gallo es pintado en imágenes visuales de rico colorido. A. Sánchez Vidal ofrece valiosas pistas para descifrar esta octava que se abre identificando a la Virgen María con la aurora, que es anunciada por el gallo-arcángel (por sus alas y por anunciar la aurora), que viste su bonete cardenalicio (cresta). Son también aspectos visuales los que inspiran la metáfora Barba Roja (el rojo moco). La octava se cierra con el brillante y admirado verso final de la *Soledad primera* de Góngora, que M. H. introduce con habilidad e ingenio, como observa Sánchez Vidal, PC 772-773.

## (BARBERO)

BLANCO narciso por obligación[5].
Frente a su imagen siempre, espumas pinta,
y en el mineral lado del salón
una idea de mar fulge distinta.
Si no esquileo en campo de jabón,
hace rayas, con gracia, mas sin tinta;
y al fin, con el pulgar en ejercicio,
lo que sobra anula del oficio.

## (MAR Y RÍO)

AGRIOS huertos, azules limonares[6],
de frutos, si dorados, corredores;
¡tan distantes!, que os sé si los vapores
libertan siempre presos palomares.
Ya va el río a regarles los azahares
alrededor de sus alrededores,
en menoscabo de la horticultura:
¡oh solución, presente al fin, futura!

---

[5] El barbero con su bata blanca es un narciso (cuya imagen se refleja de continuo en el espejo como la del Narciso mítico en la fuente) por obligación profesional. Frente a su imagen enjabona con el pincel de la brocha al cliente mientras en el extremo alicatado del salón brilla el agua del lavabo como «una idea de mar». Sánchez Vidal interpreta así los versos siguientes: «Si no esquila la espuma jabonosa, traza graciosamente, pero sin tinta, las rayas del peinado. Y, por fin, moviendo el dedo pulgar, retira el jabón que sobra» (PC 733).

[6] En los versos 1-4 describe el mar como huertos o agrios limonares por sus aguas amargas, donde corren los peces cual frutos dorados. Están éstos tan lejos, mar adentro, que el poeta sólo los puede ver («os se») si el viento infla las velas del barco como palomares siempre presos o atados al mástil. En los versos 5-8 el río arrastra hacia la mar sus aguas llenas de flores de azahar.

## (LA GRANADA)

SOBRE el patrón de vuestra risa media[7],
reales alcancías de collares,
se recorta, velada, una tragedia
de aglomerados rojos, rojos zares.
Recomendable sangre, enciclopedia
del rubor, corazones, si mollares,
con un tic-tac en plenilunio, abiertos,
como revoluciones de los huertos.

## (VELETAS)

DANZARINAS en vértices cristianos[8]
injertadas: bakeres más viüdas,
que danzan con los vientos, ya gitanos
de palmas y campanas, puntiagudas.
Negros, hacen los vientos gestos planos,
índices, si no agallas, de sus dudas,
pero siempre a los nortes y a los estes
danzarinas, si etíopes, celestes.

---

[7] Si «Les grenades» de Paul Valéry se reducía casi a simple juego de luces y colores, aquí el bello ejercicio poético se enlaza con temas de reciente actualidad («rojos zares») y con las hondas luchas ideológicas de aquel momento de la historia española. La realidad de la granada a medio abrir («vuestra risa media») es reproducida en una cadena de metáforas de intenso colorido («collares», «rojos zares», «sangre», «enciclopedia de rubor», etc.) en que se evoca el encendido rojo de la granada en el momento de abrirse plenamente («en plenilunio») en un «tic-tac». Como observa Gerardo Diego, «la mención expresa de palabras como sangre, tragedia, zares, revoluciones, nos salpica de emociones intensamente humanas y hasta apremiantemente actuales de 1933», *Cuadernos de Agora,* números 49-50, Madrid, noviembre-diciembre, 1960, pág. 27.

[8] Las veletas son danzarinas injertadas en las torres de las iglesias («en vértices cristianos»). La alusión a Josefina Baker, célebre bailarina, negra y viuda, de moda en los años 30, presta a la octava una nota de actualidad y nos sitúa en la realidad histórica contemporánea. Estas veletas («puntiagudas») danzan con los vientos gitanos («bronceados»). El color moreno de la piel lleva a llamar a los vientos «negros» (v. 5) y a las danzarinas celestes, aunque «etíopes» (negras).

## (AZAHAR)

*A Concepción Albornoz*

FRONTERA de lo puro, flor y fría[9].
Tu blancor de seis filos, complemento,
en el principal mundo, de tu aliento,
en un mundo resume un mediodía.
Astrólogo el ramaje en demasía,
de verde resultó jamás exento.
Ártica flor al sur: es necesario
tu desliz al buen curso del canario.

## (GITANAS)

¡LUNAS! Como gobiernas, como bronces[10],
siempre en mudanza, siempre dando vueltas.
Cuando me voy a la vereda, entonces
las veo desfilar, libres, esbeltas.
Domesticando van mimbres, con ronces,
mas con las bridas de los ojos sueltas,
estas lunas que esgrimen, siempre a oscuras,
las armas blancas de las dentaduras.

---

[9] La octava está dedicada a la hija del entonces ministro de Gracia y Justicia, para la cual Miguel llevó una carta de recomendación de don José Martínez Arenas en su primer viaje a Madrid. Ésta, conocedora de escritores y poetas, le encaminó a Ernesto Giménez Caballero, quien lo presentó al público madrileño en su revista *La Gaceta Literaria* el 15 de enero de 1932. La flor de azahar es evocada con metáforas como «frontera de lo puro», «blancor de seis filos», que sirve de complemento a su aroma («aliento») y resume un mediodía (limón). De paso alude el poeta al verde perenne de la hoja del limonero («de verde resultó jamás exento»). El azahar es también «ártica flor» cuya caída es necesaria para la aparición del fruto amarillo o limón (el canario).

[10] Las gitanas por sus ágiles movimientos y por su vida nómada aparecen como «lunas», «en mudanza», «dando vueltas» y «como bronces» o «a oscuras» por el color de su rostro. Su ocupación de fabricadoras de canastos y otros objetos de mimbre hace que las describa como «domesticando mimbres» pero «con las bridas de los ojos sueltas» por su conocida y sensual desenvoltura.

## (HUEVO)

CORAL, canta una noche por un filo[11],
y por otro su luna siembra para
otra redonda noche: luna clara,
¡la más clara!, con un sol en sigilo.
Dirigible, al partir llevado en vilo,
si las hirvientes sombras no rodara,
pronto un rejoneador galán de pico
iría sobre el potro en abanico.

## (NEGROS AHORCADOS POR VIOLACIÓN)

A FUEGO de arenal, frío de asfalto[12].
Sobre la Norteamérica de hielo,
con un chorro de lengua, África en lo alto
por vínculos de cáñamo, del cielo.
Su más confusa pierna, por asalto,
náufraga higuera fue de higos en pelo
sobre nácar hostil, remo exigente...
¡Norte! Forma de fuga al sur: ¡serpiente!

---

[11] A. Sánchez Vidal describe así esta octava: «El gallo, con cresta de coral, por un filo de la noche canta a la aurora y por el otro filo siembra en la gallina el lunado huevo destinado a la noche redonda de la sartén. Huevo: luna clara con el sol de la yema en su interior. Si el huevo no volara, llevado en vilo como un dirigible hasta las hirvientes sartenes, pronto saldría de él un gallo montador y galante que cubriría a la gallina a la vez que le clavaría el pico en la cabeza» (PC 744).

[12] Esta octava la he interpretado en otro lugar de la forma siguiente: «La octava nos describe a un negro ahorcado por violación. El primer verso es la descripción breve y concentrada de los dos mundos en juego, África y América, con su clima y sus hombres, fogosos o fríos: "A fuego de arenal, frío de asfalto." "Sobre la Norteamérica... África...": bello contraste de los dos mundos, esta vez a lo largo de dos versos. El negro ahorcado: "con un chorro de lengua", "por vínculos de cáñamo". En los cuatro últimos versos, el crimen del negro. "Sobre nácar hostil": es el cuerpo femenino descrito según la tradición clásica. A continuación se reitera el intenso contraste del primer verso. Al final, una nueva evocación de toda la escena indicando su causa: el pecado ("serpiente")» (J. Cano Ballesta, *La poesía de M. H.*, pág. 116).

## *Poemas*
## *(1933-1934)*

## ODA – a la higuera[13]

ABIERTOS, dulces sexos femeninos,
o negros, o verdales:
mínimas botas de morados vinos,
cerrados: genitales
lo mismo que horas fúnebres e iguales.

Rumores de almidón y de camisa[14]:
¡frenesí! de rumores
en hoja verderol, falda precisa,
justa de alrededores
para cubrir adánicos rubores.

---

[13] Es esta oda una muestra de la poesía que surje en el ambiente de la huerta oriolana cuando todavía tiene vigencia el gusto metaforizante gongorino y aún suenan los ecos de sus lecturas barrocas. De esta conjunción, unida al magisterio de Ramón Sijé, surge una poesía ricamente sensorial y con una cierta simbología religiosa y moral. En un esbozo del auto que cita A. Sánchez Vidal (PC XLIX) M. H. ya expresa esta conexión con el pecado: «Agosto – la higuera – la serpiente.» Y más adelante: «La tierra (incitándole con todo lo suyo a hacerse terreno). El aire (incitándole con todo lo suyo a hacerse divino).» En una cadena de metáforas visuales los higos abiertos son «dulces sexos femeninos» y cerrados «botas de morados vinos» (estr. 1), las hojas serán «falda precisa» para cubrir «adánicos rubores» (estr. 2), la leche del higo («con su blancor caliente») será también «malicia» «bajo la protección de la serpiente» (estr. 3). El poeta joven obsesionado por el motivo sexual tropieza por doquier con sus símbolos. La naturaleza embriagadora le enciende la sensualidad y le hace sentir la tentación, que es inicio de la vida, como dice el último verso.

[14] En un ms «cercano a la versión definitiva» encuentra A. Sánchez Vidal (PC 763) esta variante del v. 6: «Rumores de almidones y camisa», que al igual que otra del v. 3: «frágiles botas de morados vinos», prueba cómo M. H. ha ido logrando una mayor precisión («mínimas» en vez de «frágiles») o mayor sonoridad como ocurre en el v. 6.

Tinta imborrable, savia y sangre amarga:
malicia antecedente,
que la carne morena torna y larga
con su blancor caliente,
bajo la protección de la serpiente.

¡Oh meca! de lujurias y avisperos,
quid de las hinchazones.
¡Oh desembocadura! de los eros;
higuera de pasiones,
crótalos pares y pecados nones.

Al higo, por él mismo vulnerado
con renglón de blancura,
y orines de jarabe sobre el lado
de su mirada oscura,
voy, pero sin pasar de mi cintura.

Blande y blandea el sol, ennegrecido,
el tumor inflamable.
El pájaro que siente aquí su nido,
su seno laborable,
se ahogará de deseo antes que hable.

Bajo la umbría bíblica me altero,
más tentado que el santo.
Soy tronco de mí mismo, mas no quiero,
ejemplar de amaranto,
lleno de humor, pero de amor no tanto.

Aquí, sur fragoroso tiene el viento
la corriente encendida;
la cigarra su justo monumento,
la avispa su manida.
¡Aquí vuelve a empezar!, eva, la vida.

## CORRIDA – real[15]

(CARTEL)

GABRIEL de las imprentas:
yedra cuadrangular de las esquinas,
cuelga, anuncia sonrisas presidentas,
situaciones taurinas.
Un sol de propaganda, el sol posible
nada más, asegura,
jura para tal día.
Y un toro de pintura,
el más viudo y varonil terrible
que halló el pintor en su ganadería,
a un sombrero amenaza,
del gozo espectador seña presunta,
con una doble punta
de cornadas que nunca desenlaza.

---

[15] Este poema, de 1934, pertenece a un primitivo proyecto de *El silbo vulnerado,* que contenía composiciones de diversas formas métricas, con una cierta tendencia al simbolismo religioso y a cierto hermetismo y complicación conceptual, como dice Sánchez Vidal (PC LXX, LXXI). La corrida es pintada aquí con gran lujo de metáforas todavía de excesiva verbosidad y amplitud. Son perífrasis que van dibujando con cierto detalle el plano real y tienen carácter descriptivo o pictórico. El ejercicio gongorino de *Perito en lunas* halla su prolongación en este poema al pintoresco espectáculo de la llamada fiesta nacional presentado en todo su brillante despliegue de luz y colorido.

(PLAZA)

Corro de arena: noria
de sangre horizontal y concurrencia
de anillos: sí: ¡victoria!
de la circunferencia.
Palcos: marzos lluviosos de mantones
nutridos de belleza deseada.
Acometividad de los tendidos:
por las curvas, si no por los silbidos,
humanos culebrones
ordenan su inquietud de grada en grada.
Sol y sombra en el ojo y el asiento:
avispas de momento.
A los toriles, toros,
al torero le exigen el portento
y caballos de más al as de oros.

(TORO)

Copiosa de azagayas,
provisión de furores,
urgentes tras los cuernos,
recomiendan clarines
a una arena sin playas,
era de resplandores
con parva de carmines
manejables y alternos.

(TORO Y CABALLO)

Si las peinas elevan las mantillas,
si las mantillas damas,
si las damas elevan —¡banderillas!—
las masculinas bramas,
el negro toro, luto articulado
y tumba de la espada,

caballos sólo ciegos por el lado
por que habrán de morir, y picadores,
hacen casi celestes, si las varas
sus obstinados carmesís mayores.

(TORO Y BANDERILLERO)

Pródigas en papeles, pero avaras
en longitud y acero,
la presencia corriente del arquero,
citan, si su atención anteriormente,
verdes prolongaciones y amarillas.
Pero el banderillero,
gracia, sexo patente,
si lo busca de frente,
en primorosos lances
curvo, para evitar rectos percances,
de pronto lo rehúsa,
palco de banderillas,
que matrimonia en conjunción confusa.

(TORO Y PEÓN)

Huyendo de las cóleras mortales,
sin temor a lucir su mucho miedo
tablas para el peligro pide al ruedo,
redondos salvavidas terrenales;
mientras el toro alza
la que su frente calza
aviesa media vuelta,
más caliente, más pita y más esbelta.

(TORO Y TORERO)

Profesando bravura, sale y pisa
graciosidad su planta:

la luz por indumento, por sonrisa
la beldad fulminante que abrillanta.
Sol, se ciega al mirarlo.
Galeote
de su ciencia, su mano y su capote,
fluye el otro detrás de sus marfiles.
Concurren situaciones bellas miles
en un solo minuto
de valor, que induciendo está a peones
a la temeridad como tributo
de sus intervenciones.

Se arrodilla, implorante valentía,
y como el caracol, el cuerno toca
a éste, que en su existencia lo hundiría
como en su acordeón los caracoles.
La sorda guerra su actitud provoca
de la fotografía.
Puede ser sonreír, en este instante
crítico, un devaneo;
un trágico desplante,
—¡ay temeraria luz, no te atortoles!—
hacer demostraciones de un deseo.

Heroicidad ya tanta,
música necesita:
y la pide la múltiple garganta,
y el juzgador balcón la facilita.

Muertes intenta el toro, el asta intenta
recoger lo que sobra de valiente
al macho en abundancia.
¡Ya! casi experimenta
heridas el lugar sobresaliente
de aquel sobresaliente de arrogancia.
¡Ya! va a hacerlo divino.
¡Ya! en el tambor de arena el drama bate...
Mas no: que por ser fiel a su destino,
el toro está queriendo que él lo mate.

Enterrador de acero,
sepulta en grana el arma de su gloria,
tan de una vez certero,
que el toro, sin dudar en su agonía,
le da para señal de su victoria
el miembro que aventó moscas un día,
mientras su muerte arrastran cascabeles.

—¡Se ha realizado! el sol que prometía
el pintor, si la empresa, en los carteles.

## CITACIÓN – fatal[16]

SE CITARON los dos para en la plaza
tal día, y a tal hora, y en tal suerte:
una vida de muerte
y una muerte de raza.

Dentro del ruedo, un sol que daba pena,
se hacía más redondo y amarillo
en la inquietud inmóvil de la arena
con Dios alrededor, perfecto anillo.

Fuera, arriba, en el palco y en la grada,
deseos con mantillas.

Salió la muerte astada,
palco de banderillas.

---

[16] Adopto el título que propone A. Sánchez Vidal (PC 776) siguiendo una copia mecanografiada. M. H. se une a los homenajes al torero, escritor y amigo de intelectuales, Ignacio Sánchez Mejías, cogido por el toro en la plaza de Manzanares el verano de 1934. Frente al extraordinario «Llanto por Ignacio Sánchez Mejías» de F. García Lorca y la «Elegía» de Rafael Alberti, el poeta de Orihuela, todavía incipiente, escribe un poema más modesto. Su catolicismo abrevado de fuentes barrocas, que él había cultivado recientemente en su auto, le lleva a una interpretación alegórica de la corrida como enfrentamiento entre la vida (el torero en traje de luces) y la «muerte astada» (el toro) en medio de la arena «con Dios alrededor perfecto anillo». Esta lidia acabará «cuando Dios quiera» y el poeta concluye deseando al torero que Dios lo acoja en sus brazos. En el poema abundan las metáforas conceptuales y abstractas de inspiración barroca combinadas con la imagen sensorial y colorista tan del gusto del poeta levantino.

(Había hecho antes,
a lo sutil, lo primoroso y fino,
el clarín sus galleos más brillantes,
verdadera y fatalmente divino.)

Vino la muerte del chiqueo: vino
de la valla, de Dios, hasta su encuentro
la vida entre la luz, su indumentaria;
y las dos se pararon en el centro,
ante la una mortal, la otra estatuaria.

Comenzó el juego, expuesto
por una y otra parte...
La vida se libraba, ¡con qué gesto!,
de morir, ¡con qué arte!

Pero una vez —había de ser una—,
es copada la vida por la muerte,
y se desafortuna
la burla, y en tragedia se convierte

* * *

Morir es una suerte
como vivir: ¡de qué!, ¡de qué manera!
supiste ejecutarla y el berrendo.

Tu muerte fue vivida a la torera,
lo mismo que tu vida fue muriendo.

No: a ti no te distrajo,
el tendido vicioso e iracundo,
el difícil trabajo
de ir a Dios por la muerte y por el mundo.

Tu atención sólo han sido toro y ruedo,
tu vocación el cuerno fulminante.

Con el valor sublime de tu miedo,
el valor más gigante,
la esperabas de mármol elegante.

Te dedicaste al hueso más avieso,
que te ha dejado a ti en el puro hueso,
y eres el colmo ya de la finura.

Mas ¿qué importa? que acabes... ¿No acabamos?
todos, aquí, criatura,
allí en el sitio donde Todo empieza.

Total, total, ¡total!: di: ¿no tocamos?
a muerte, a infierno, a gloria por cabeza.

Quisiera yo, Mejías,
a quien el hueso y cuerno
ha hecho estatua, callado, paz, eterno,
esperar y mirar, cual tú solías,
a la muerte: ¡de cara!,
con un valor que era un temor interno
de que no te matara.

Quisiera el desgobierno
de la carne, vidriera delicada,
la manifestación del hueso fuerte.

Estoy queriendo, y temo la cornada
de tu momento, muerte.

Espero, a pie parado,
el ser, cuando Dios quiera, despenado,
con la vida de miedo medio muerta.

Que en ese *cuando*, amigo,
alguien diga por mí lo que yo digo
por ti con voz serena que aparento:

San Pedro, ¡abre! la puerta:
abre los brazos, Dios, y ¡dale! asiento.

## A MARÍA SANTÍSIMA[17]

(EN TODA SU HERMOSURA)

¡Oh Elegida! por Dios antes que nada;
Reina del Ala; Propia del zafiro,
Nieta de Adán, creada en el retiro
de la Virginidad siempre increada.

Tienes el ojo tierno de preñada;
y ante el sabroso origen del suspiro
donde la leche mana miera, miro
tu cintura, de no parir, delgada.

Trillo es tu pie de la serpiente lista,
tu parva el mundo, el ángel tu siguiente,
Gloria del Greco y del Cristal Orgullo.

Privilegió Judea con tu vista
Dios, y eligió la brisa y el ambiente
en que debía abrirse tu capullo.

---

[17] Soneto publicado en *El Gallo Crisis,* 2, con la fecha «Virgen de agosto, 1934». Recurre a experiencias de la vida diaria de la naturaleza y el paisaje oriolanos (el embarazo, o el parto, las faenas de la cosecha, el abrirse del capullo) para prestar autenticidad de experiencia vivida a misterios y dogmas católicos en torno a María, logrando así la expresión de una religiosidad sincera y profunda.

## LA MORADA – amarilla[18]

*A María Zambrano*

¡APUNTA Dios! la espiga y el sembrado,
florece Dios, la vid, la flor del vino.
(Tiró por recoger multiplicado
su fortuna de troj el campesino,
que, como pobre, un ambicioso pica.)

Muy pobremente rica.
muy tristemente bella,
la tierra castellana ¿se dedica?
a ser Castilla: ¿ella?

El desamparo cunde —¡qué copioso!—,
al amparo —¡qué inmenso!—, de la altura.
Inacabable mapa de reposo,
sacramental llanura:
de más la soledad y la hermosura.

Pan y pan, vino y vino,
Dios y Dios, tierra y cielo...

---

[18] Publicado en *El Gallo Crisis,* 2, con la fecha «Virgen de agosto, 1934». El poema respira un hondo sentimiento de la naturaleza como surgido de la pluma de un poeta criado en ella y familiarizado con el paisaje castellano en sus viajes y excursiones. Miguel se mueve en este momento en la órbita de Ramón Sijé, de su revista *El Gallo Crisis,* donde aparece el poema, y de sus ideales de un nuevo catolicismo que impregna el paisaje de valores religiosos, eucarísticos y trascendentes, ya desde el primer verso: «¡Apunta Dios! la espiga y el sembrado, florece Dios...»

Enguizcando a las aves y al molino
pasa el aire de vuelo.

Sube la tierra al cielo paso a paso,
baja el cielo a la tierra de repente
(un azul de llover cielo cencido
bueno para marido):
cereal y vinícola en el raso,
Dios, al fin accidente,
hace en la viña y en las mieses nido.

¡Qué morada! es Castilla:
¡qué morada! de Dios y ¡qué amarilla!
¡Qué solemne! morada
de Dios la tierra arada, enamorada,
la uva morada y verde la semilla.

¡Qué cosechón! de páramo y llanura.
¡Qué lejos!, ¡ay!, de trigo.
¡Qué hidalga! paz. ¡Qué mística! verdura
y ¡qué viento! rodrigo.

Páramo mondo: mondas majestades[19]:
mondo cielo: luz monda: mondo olivo:
monda paz: y silencio mondo y vivo:
¡soledad!: ¡soledad de soledades!,
con una claridad a la redonda
viüda, sola y monda.

¡No hay luz! más aflictiva.
¡No hay altura! más honda.
¡No hay angustia! más viva.

---

[19] La límpida transparencia del páramo castellano contrastando con la naturaleza exuberante y sensual de la huerta levantina se convierte en una exhortación a la virtud y a los valores espirituales según dice el poeta en otra ocasión: «El campo nos serena y pacifica... Adán y Eva, en este masculino campo castellano, o no hubieran pecado o hubiesen tardado más en pecar» (OC 938). De ahí este canto a la pureza.

La copa fugitiva
del chopo, verde copo
de cielo en cielo, cielo al cielo priva
en un celeste anhelo:
¡chopo!: copo de cielo,
que es menos que ser cielo y más que chopo,
chopo de cielo: ¡copo!

Por viento al horizonte va el molino;
por gracia, luz, molienda y movimiento:
y se queda parado en el camino,
pacífico un momento,
gracia, molienda, luz pero no viento.

¡Soledad trina y una! castellana:
Dios: el viento, el molino y la besana.

La luz es un ungüento
que cura la mirada del espanto.

Se levanta el jilguero,
cereal ¡tanto y tanto!
de trigo y voz provisto.

(—No amedrentes al ave, meseguero,
que hace celeste el pan, un poco cristo.)

Se impacienta la espiga por la siega
con la impaciencia de la brisa encima,
membruda enamorada de las hoces.

...Esta Mancha manchega,
¿por qué? se desarrima
al cielo en este tiempo, y le da voces.
¡Tan bien! que está el cordero,
sobre la línea pura del otero paciendo
sobre el cielo cabizbajo
las cabizaltas flores.
¡Tan bien! que está, ya arriba, y aun abajo,

la soledad lanar de los pastores,
proveyendo distancias
de soledad, de amor, de vigilancias,
encima de la loma
que lo deja en el cielo que lo toma.
La espiga rabitiesa
nutrida de altitudes...

¡Isidro!, ¡Juan!, ¡Teresa!,
¡Alonso!, ¡Ruy!... ¿qué fueron? las virtudes.
La viña alborotada
está; la mies revuelta:
ruedo es la era ya de polvo y nada:
¡tanto que fue! la era, por la trilla,
todo de Dios, en Dios siempre resuelta.

—De casta te vendrá lo de Castilla,
¡oh campal ricahembra! castellana,
asunto, como Dios, de la semilla.
No esperes a mañana
para volver al pan, a Dios y al vino[20]:
son ellos tu destino.
Y has de ser resumible ¡siempre!, Amiga,
en un racimo, un cáliz y una espiga.

---

[20] El poema se resuelve en una vuelta a valores religiosos y tradicionales, y tiene inevitablemente resonancias políticas de acuerdo con el sentido general que Ramón Sijé trataba de imprimir a su revista *El Gallo Crisis.* Frente a la huelga y la revuelta, muy comunes por aquellas fechas, Miguel pide sumisión, trabajo y retorno al catolicismo tradicional, según formulaba en una prosa de unos meses antes: «Os inclináis al crimen, no a la tierra...» «Amenazad a la espiga y no al hombre con la hoz del filo grande...» (OC 939). A. Sánchez Vidal recuerda cómo el verso final: «en un racimo, un cáliz y una espiga» es un claro eco del soneto de Hernando de Acuña: «Un Monarca, un Imperio y una Espada», citado por Sijé en el núm. 1 de *El Gallo Crisis* como «invitando a Castilla a emprender la recuperación de sus destinos católico-imperiales» (PC LXII).

SER ONDA, oficio, niña, es de tu pelo[21],
nacida ya para el marero oficio;
ser graciosa y morena tu ejercicio
y tu virtud más ejemplar ser cielo.

¡Niña!, cuando tu pelo va de vuelo,
dando del viento claro un negro indicio,
enmienda de marfil y de artificio
ser de tu capilar borrasca anhelo.

No tienes más quehacer que ser hermosa,
ni tengo más festejo que mirarte,
alrededor girando de tu esfera.

Satélite de ti, no hago otra cosa.
si no es una labor de recordarte,
—¡Date presa de amor, mi carcelera!

[21] El soneto encierra cierto valor autobiográfico. Tras varias semanas espiando en torno al taller de costura donde trabaja Josefina Manresa, su amor primero y definitivo, M. H., al fin, decide abordarla como cuenta en su prosa «Espera – en desaseo» *(La Verdad,* Murcia, 9 nov. 1933) que di a conocer en PPG. Una de las veces, venciendo su timidez, le entrega este poema con el que comenzará una larga serie de sonetos amorosos que van a culminar en *El rayo que no cesa.*

## EL SILBO DE AFIRMACIÓN EN LA ALDEA[22]

Alto soy de mirar a las palmeras,
rudo de convivir con las montañas...[23]
Yo me vi bajo y blando en las aceras
de una ciudad espléndida de arañas.

---

[22] Fue publicado por primera vez en *El Gallo Crisis*, 5-6, Santo Tomás de la Primavera, Pascua de Pentecostés, 1935. Sin embargo, su fecha de composición fue diciembre de 1934 como se desprende del mismo poema: «...Están los pavos, / la Navidad se acerca, / explotando de broma en los tapiales» (v. 160); «y estamos en diciembre, que, hasta enero...» (v. 181). Esta fecha estaría más a tono con la orientación católica y conservadora que reflejan las prosas y otras obras de los últimos doce meses: «Y vosotros, hombres de la soledad, campesinos de Dios, buscáis la compañía de la ciudad mala... Los hombres urbanos, cultos, pero sin cultura campesina, introdujeron en nuestras funciones las arañas que no pueden vivir si no es atadas a sus vicios brillantes, sus hilos que impiden el desarrollo de las plantas. Os han destetado del campo» *(La Verdad,* Murcia, 8 febrero 1934). El enfrentamiento entre ciudad y aldea, Madrid y huerta oriolana, va a ser pronto la dialéctica entre el viejo poeta pastor, amigo de Sijé y de su neo-catolicismo, y el nuevo Miguel de avanzadas ideas políticas y artísticas, amigo de Alberti, Neruda y Aleixandre, como comprueba la carta de Ramón Sijé del 12 de mayo de 1935: «...Tú me dices que Orihuela ahoga, amarga, duele, hiere con sus sacristanes y sus tonterías de siempre... Más, Orihuela es la Categoría... Yo, por el contrario, no podré vivir nunca en Madrid... Te convendría, Miguel, venir unos días...» «El silbo de afirmación en la aldea» ha merecido la lúcida atención crítica de Francisco J. Díez de Revenga, «Miguel Hernández y la nueva versión de un tema clásico», *Revista del Instituto de Estudios Alicantinos,* núm. 5, enero 1971, y en M. de G. Ifach, *Miguel Hernández,* páginas 271-276, y Gabriel Berns, «Miguel Hernández y la ciudad», *Ínsula,* Madrid, núm. 306, mayo 1972, y en J. Cano Ballesta y otros, *En torno a M. H.,* páginas 53-63.

[23] El poeta comienza cantando la serenidad y sana rudeza de la vida de aldea para marcar más el contraste con su experiencia en la ciudad de estridentes ruidos, sobresaltos, tentaciones, escenas de vicio, alarmas y confusión.

Difíciles barrancos de escaleras,
calladas cataratas de ascensores,
¡qué impresión de vacío!,
ocupaban el puesto de mis flores,
los aires de mis aires y mi río.

Yo vi lo más notable de lo mío
llevado del demonio, y Dios ausente.
Yo te tuve en el lejos del olvido,
aldea, huerto, fuente
en que me vi al descuido:
huerto, donde me hallé la mejor vida,
aldea, donde al aire y libremente,
en una paz meé larga y tendida.

Pero volví en seguida
mi atención a las puras existencias
de mi retiro hacia mi ausencia atento,
y todas sus ausencias
me llenaron de luz el pensamiento.

Iba mi pie sin tierra, ¡qué tormento!
vacilando en la cera de los pisos,
con un temor continuo, un sobresalto,
que aumentaban los timbres, los avisos,
las alarmas, los hombres y el asfalto.
¡Alto!, ¡Alto!, ¡Alto!, ¡Alto!
¡Orden!, ¡Orden! ¡Qué altiva
imposición del orden una mano,
un color, un sonido!
Mi cualidad visiva,
¡ay!, perdía el sentido.

Topado por mil senos, embestido
por más de mil peligros, tentaciones,
mecánicas jaurías,
me seguían lujurias y claxones,
deseos y tranvías.

¡Cuánto labio de púrpuras teatrales,
exageradamente pecadores!
¡Cuánto vocabulario de cristales,
al frenesí llevando los colores
en una pugna, en una competencia
de originalidad y de excelencia!
¡Qué confusión! ¡Babel de las babeles!
¡Gran ciudad!: ¡gran demontre!: ¡gran puñeta!
¡el mundo sobre rieles,
y su desequilibrio en bicicleta!

Los vicios desdentados, las ancianas
echándose en las canas rosicleres,
infamia de las canas,
y aun buscando sin tuétano placeres.
Árboles, como locos, enjaulados:
Alamedas, jardines
para destuetanarse el mundo; y lados
de creación ultrajada por orines.

Huele el macho a jazmines,
y menos lo que es todo parece
la hembra oliendo a cuadra y podredumbre[24].

¡Ay, cómo empequeñece
andar metido en esta muchedumbre!
¡Ay!, ¿dónde está mi cumbre,
mi pureza, y el valle del sesteo
de mi ganado aquel y su pastura?

---

[24] A lo largo del poema, pero sobre todo en los últimos veinticinco versos, se puede notar un marcado tono moralizante con su «airecillo a Sodoma y Gomorra», como dice J. M. Balcells, que recuerda conocidas páginas de Ramón Sijé en «Las verdades como puños», *El Gallo Crisis,* núm. 3-4, pág. 26 (J. M. Balcells, *M. H. corazón desmesurado,* Barcelona, Ed. Dirosa, 1975, págs. 98-99). Gabriel Berns, por su parte, nota la exclamación «¡Qué confusión!» ante el caos del tráfico urbano, que coincide con otra igual en el poema «Hombres en la orilla» de Pedro Salinas.

Y miro, y sólo veo
velocidad de vicio y de locura.
Todo eléctrico: todo de momento.
Nada serenidad, paz recogida.
Eléctrica la luz, la voz, el viento,
y eléctrica la vida.
Todo electricidad: todo presteza
eléctrica: la flor y la sonrisa,
el orden, la belleza,
la canción y la prisa.
Nada es por voluntad de ser, por gana,
por vocación de ser. ¿Qué hacéis las cosas
de Dios aquí: la nube, la manzana,
el borrico, las piedras y las rosas?

¡Rascacielos!: ¡qué risa!: ¡rascaleches!
¡Qué presunción los manda hasta el retiro
de Dios! ¿Cuándo será, Señor, que eches
tanta soberbia abajo de un suspiro?
¡Ascensores!: ¡qué rabia! A ver, ¿cuál sube
a la talla de un monte y sobrepasa
el perfil de una nube,
o el cardo, que de místico se abrasa
en la serrana gracia de la altura?
¡Metro!: ¡qué noche oscura
para el suicidio del que desespera!:
¡qué subterránea y vasta gusanera,
donde se cata y zumba
la labor y el secreto de la tumba!
¡Asfalto!: ¡qué impiedad para mi planta![25]

---

[25] En los versos precedentes Miguel Hernández presta a su poema una vigorosa estructura formal que está en hiriente contraste con el caos urbano que trata de evocar. El poeta nombra indignado al principio de cuatro versos los aspectos más odiosos de la gran ciudad para rechazarlos con indignación:

¡Rascacielos! ¡qué risa!...
¡Ascensores!: ¡qué rabia!...
¡Metro! ¡qué noche oscura!...
¡Asfalto!: ¡qué impiedad!...

¡Ay, qué de menos echa
el tacto de mi pie mundos de arcilla
cuyo contacto imanta,
paisajes de cosecha,
caricias y tropiezos de semilla!

¡Ay, no encuentro, no encuentro
la plenitud del mundo en este centro!
En los naranjos dulces de mi río,
asombros de oro en estas latitudes,
oh ciudad cojitranca, desvarío,
sólo abarca mi mano plenitudes.
No concuerdo con todas estas cosas
de escaparate y de bisutería:
entre sus variedades procelosas,
es la persona mía,
como el árbol, un triste anacronismo.
Y el triste de mí mismo,
sale por su alegría,
que se quedó en el mayo de mi huerto.
de este urbano bullicio
donde no estoy de mí seguro cierto,
y es pormayor la vida como el vicio.

* * *

He medio boquiabierto
la soledad cerrada de mi huerto.
He regado las plantas:
las de mis pies impuras y otras santas,
en la sequía breve de mi ausencia
por nadie reemplazada. Se derrama,
rogándome asistencia,
el limonero al suelo, ya cansino,
de tanto agrio picudo.
En el miembro desnudo de una rama,
se le ve al ave el trino
recóndito, desnudo.

Aquí la vida es pormenor: hormiga,
muerte, cariño, pena,
piedra, horizonte, río, luz, espiga,
vidrio, surco y arena.
Aquí está la basura
en las calles, y no en los corazones.
Aquí todo se sabe y se murmura:
No puede haber oculta la criatura
mala, y menos las malas intenciones.

Nace un niño, y entera
la madre a todo el mundo del contorno.
Hay pimentón tendido en la ladera,
hay pan dentro del horno,
y el olor llena el ámbito, rebasa
los límites del marco de las puertas,
penetra en toda casa
y panifica el aire de las huertas.

Como una paz de aceite derramado,
enciende el río un lado y otro lado
de su imposible, por eterna, huida.
Como una miel muy lenta destilada,
por la serenidad de su caída
sube la luz a las palmeras: cada
palmera se disputa
la soledad suprema de los vientos,
la delicada gloria de la fruta
y la supremacía
de la elegancia de los movimientos
en la más venturosa geografía.

Está el agua que trina de tan fría
en la pila y la alberca
donde aprendí a nadar. Están los pavos,
la Navidad se acerca,
explotando de broma en los tapiales,
con los desplantes y los gestos bravos
y las barbas con ramos de corales.

Las venas manantiales
de mi pozo serrano
me dan, en el pozal que les envío,
pureza y lustración para la mano,
para la tierra seca amor y frío.

Haciendo el hortelano,
hoy en este solaz de regadío
de mi huerto me quedo.
No quiero más ciudad, que me reduce
su visión, y su mundo me da miedo.

¡Cómo el limón reluce
encima de mi frente y la descansa!
¡Cómo apunta en el cruce
de la luz y la tierra el lilio puro!
Se combate la pita, y se remansa
el perejil en un aparte oscuro.
Hay az'har, ¡qué osadía de la nieve!
y estamos en diciembre, que, hasta enero,
a oler, lucir y porfiar se atreve
en el alrededor del limonero.

Lo que haya de venir, aquí lo espero
cultivando el romero y la pobreza.
Aquí de nuevo empieza
el orden, se reanuda
el reposo, por yerros alterado,
mi vida humilde, y por humilde, muda.
Y Dios dirá, que está siempre callado.

MIS OJOS, sin tus ojos, no son ojos[26],
que son dos hormigueros solitarios,

[26] En los siguientes poemas, que nos introducen en *El rayo que no cesa,* irrumpe poderosamente en la obra de M. H. la interioridad y el tema amoroso expre-

y son mis manos sin las tuyas varios
intratables espinos a manojos.

No me encuentro los labios sin tus rojos,
que me llenan de dulces campanarios,
sin ti mis pensamientos son calvarios
criando cardos y agostando hinojos.

No sé qué es de mi oreja sin tu acento,
ni hacia qué polo yerro sin tu estrella,
y mi voz sin tu trato se afemina.

Los olores persigo de tu viento
y la olvidada imagen de tu huella,
que en ti principia, amor, y en mí termina.

(De *Imagen de tu huella.)*

YA se desembaraza y se desmembra
el angélico lirio de la cumbre,
y al desembarazarse da un relumbre
que de un puro relámpago me siembra,
Es el tiempo del macho y de la hembra,
y una necesidad, no una costumbre,
besar, amar en medio de esta lumbre
que el destino decide de la siembra.

Toda la creación busca pareja:
se persiguen los picos y los huesos
hacen la vida par todas las cosas.

---

sado en imágenes de sabor rural y primitivo y en el estrecho molde del soneto. El poeta, todavía en la órbita de Ramón Sijé y de la retórica del Siglo do Oro —la crisis estética e ideológica se irá acentuando durante los dos años, 1934 y 1935, que cubren este ciclo amoroso— practica el soneto como ascético esfuerzo para controlar la inspiración y la expresión de la pasión amorosa sometiéndola al imperio del espíritu y de la racionalidad métrica. Pero nada logra contener el ímpetu arrollador de su corazón que «se desborda —en palabras de Juan Ramón Jiménez— como elemental naturaleza desnuda».

En una soledad impar que aqueja,
yo entre esquilas sonantes como besos
y corderas atentas como esposas.

(De *Imagen de tu huella.*)

¡Y qué buena es la tierra de mi huerto!:
hace un olor a madre que enamora,
mientras la azada mía el aire dora
y el regazo le deja pechiabierto.

Me sobrecoge una emoción de muerto
que va a caer al hoyo en paz, ahora,
cuando inclino la mano horticultora
y detrás de la mano el cuerpo incierto.

¿Cuándo caeré, cuándo caeré al regazo
íntimo y amoroso, donde halla
tanta delicadeza la azucena?

Debajo de mis pies siento un abrazo,
que espera francamente que me vaya
a él, dejando estos ojos que dan pena.

(De *El silbo vulnerado.*)

SABE todo mi huerto a desposado,
que está el azahar haciendo de las suyas
y va el amor de píos y de puyas
de un lado de la rama al otro lado.

Jugar al ruy-señor enamorado
quisiera con mis ansias y las tuyas,
cuando de sestear, amor, concluyas
al pie del limonero limonado.

Dando besos al aire y a la nada,
voy por el andador donde la espuma
se estrella del limón intermitente.

¡Qué alegría ser par, amor, amada,
y alto bajo el ejemplo de la pluma,
y qué pena no serlo eternamente!

(De *El silbo vulnerado.)*

COMO queda en la tarde que termina,
convertido en espera de barbecho
el cereal rastrojo barbihecho,
hecho una pura llaga campesina,

hecho una pura llaga campesina,
así me quedo yo solo y maltrecho
con un arado urgente junto al pecho,
que hurgando en mis entrañas me asesina.

Así me quedo yo cuando el ocaso,
escogiendo la luz, el aire amansa
y todo lo avalora y lo serena:

perfil de tierra sobre el cielo raso,
donde un arado en paz fuera descansa
dando hacia dentro un aguijón de pena.

(De *El silbo vulnerado.)*

# *El rayo que no cesa*
# *(1934-1935)*

UN CARNÍVORO cuchillo[27]
de ala dulce y homicida
sostiene un vuelo y un brillo
alrededor de mi vida.

Rayo de metal crispado
fulgentemente caído,
picotea mi costado
y hace en él un triste nido.

Mi sien, florido balcón
de mis edades tempranas,
negra está, y mi corazón,
y mi corazón con canas.

Tal es la mala virtud
del rayo que me rodea,
que voy a mi juventud
como la luna a la aldea.

---

[27] La compleja interioridad del poeta irrumpe, en este primer poema, en el símbolo hiriente del «carnívoro cuchillo» que cuelga sobre su cabeza como una espada de Damocles. Revela un esfuerzo por captar las contradicciones del amor que tan bellamente había expresado Quevedo en su maravilloso soneto: «Es hielo abrasador, es fuego helado / es herida, que duele y no se siente...» La compleja vivencia del amor halla expresión en este simbólico cuchillo que es «ave» y «rayo», «dulce» y «homicida», y que tras sustentar todo el poema aún sigue en su última estrofa «volando», «hiriendo» en una perfecta correlación bimembre que nos permite asomarnos a su mundo interior de amor, muerte y tragedia, ya que este cuchillo es también expresión de toda su angustia existencial y de sus presentimientos trágicos.

Recojo con las pestañas
sal del alma y sal del ojo
y flores de telarañas
de mis tristezas recojo.

¿Adónde iré que no vaya
mi perdición a buscar?
Tu destino es de la playa
y mi vocación del mar.

Descansar de esta labor
de huracán, amor o infierno
no es posible, y el dolor
me hará a mi pesar eterno.

Pero al fin podré vencerte,
ave y rayo secular,
corazón, que de la muerte
nadie ha de hacerme dudar.

Sigue, pues, sigue, cuchillo,
volando, hiriendo. Algún día
se pondrá el tiempo amarillo
sobre mi fotografía.

ME TIRASTE un limón, y tan amargo,
con una mano cálida, y tan pura[28],
que no menoscabó su arquitectura
y probé su amargura sin embargo.

---

[28] En una versión anterior de este soneto, la de *El silbo vulnerado* de J. M. de Cossío, hay variantes a tres versos dignas de notarse, ya que ponen al descubierto los ideales expresivos hacia los que el poeta se orientaba. El v. 2 decía: «con una mano rápida, y tan pura». En la versión definitiva se ve que Miguel ha querido atenuar detalles de la anécdota que originó el soneto para acentuar la emoción. Algo parecido ocurre en el v. 11: «a mi torpe malicia tan ajena». En los dos casos se quiere subrayar la actitud enamorada de ambos: «cálida» ella, «voraz» él, quitando importancia a la descripción detallada y fiel del incidente. La

Con el golpe amarillo, de un letargo
dulce pasó a una ansiosa calentura
mi sangre, que sintió la mordedura
de una punta de seno duro y largo.

Pero al mirarte y verte la sonrisa
que te produjo el limonado hecho,
a mi voraz malicia tan ajena,

se me durmió la sangre en la camisa,
y se volvió el poroso y áureo pecho
una picuda y deslumbrante pena.

POR TU PIE, la blancura más bailable,
donde cesa en diez partes tu hermosura,
una paloma sube a tu cintura,
baja a la tierra un nardo interminable.

Con tu pie vas poniendo lo admirable
del nácar en ridícula estrechura
y a donde va tu pie va la blancura,
perro sembrado de jazmín calzable[29].

---

versión definitiva, comparada con la de Cossío en el v. 6: «pasó a una desvelada calentura», revela el deseo de disminuir la monotonía de unidades sintácticas que acaban con el verso, como ocurría en los cinco primeros. Añadiendo otro encabalgamiento al fin del v. 5 (al ya existente al fin del v. 6) se consigne ligar los versos de la 2.ª estrofa aumentando su tensión interna, que provoca un momento máximo de intensidad lírica en el v. 8, confirmada, aunque en otra tónica, en el verso final.

[29] El desaforado y artificioso barroquismo de este verso, por más que se sirva de elementos del campo (jazmín, perro), ha hecho decir a F. Umbral: «Soneto, con toda su sorpresa y habilidad, de alta traición a la misión última del poeta, a su compromiso natural con el lenguaje natural» (F. Umbral, «Agricultura viva», *Cuadernos Hispanoamericanos,* Madrid, núm. 230, febrero 1969, pág. 338, y en M. de G. Ifach, *Miguel Hernández,* pág. 96). No es caso único en *El rayo* donde el poeta busca expresión vigorosa a sus vivencias. Pero en medio de una grave crisis interna, este alejamiento de la naturaleza e inmersión en el mundo de la cultura, le ayuda a superar su rusticidad nativa como en los vv. 3-4, de incomparable dinamismo y gran fuerza descriptiva.

A tu pie, tan espuma como playa,
arena y mar me arrimo y desarrimo
y al redil de su planta entrar procuro.

Entro y dejo que el alma se me vaya
por la voz amorosa del racimo:
pisa mi corazón que ya es maduro.

TENGO ESTOS huesos hechos a las penas
y a las cavilaciones estas sienes:
pena que vas, cavilación que vienes
como el mar de la playa a las arenas.

Como el mar de la playa a las arenas,
voy en este naufragio de vaivenes
por una noche oscura de sartenes
redondas, pobres, tristes y morenas.

Nadie me salvará de este naufragio
si no es tu amor, la tabla que procuro,
si no es tu voz, el norte que pretendo.

Eludiendo por eso el mal presagio
de que ni en ti siquiera habré seguro,
voy entre pena y pena sonriendo.

TE ME MUERES de casta y de sencilla:
estoy convicto, amor, estoy confeso
de que, raptor intrépido de un beso,
yo te libé la flor de la mejilla.

Yo te libé la flor de la mejilla,
y desde aquella gloria, aquel suceso,
tu mejilla, de escrúpulo y de peso,
se te cae deshojada y amarilla.

El fantasma del beso delincuente
el pómulo te tiene perseguido,
cada vez más potente, negro y grande.

Y sin dormir estás, celosamente,
vigilando mi boca ¡con qué cuido![30]
para que no se vicie y se desmande.

SILENCIO de metal triste y sonoro,
espadas congregando con amores
en el final de huesos destructores
de la región volcánica del toro.

Una humedad de femenino oro
que olió puso en su sangre resplandores,
y refugió un bramido entre las flores
como un huracanado y vasto lloro.

De amorosas y cálidas cornadas
cubriendo está los trebolares tiernos
con el dolor de mil enamorados.

Bajo su piel las furias refugiadas
son en el nacimiento de sus cuernos
pensamientos de muerte edificados.

---

[30] Si comparamos nuestra versión con la de *El silbo vulnerado* de Cossío, que dice en los vv. 12-13:

> Y sin dormir, amor, celosamente,
> me vigilas la boca ¡con qué cuido!

observamos un esfuerzo consistente del poeta por suprimir muletillas («amor») y por ligar entre sí los versos mediante el encabalgamiento, fenómeno que observamos en correcciones antes notadas.

UNA QUERENCIA tengo por tu acento,
una apetencia por tu compañía
y una dolencia de melancolía
por la ausencia del aire de tu viento.

Paciencia necesita mi tormento,
urgencia de tu garza galanía,
tu clemencia solar mi helado día,
tu asistencia la herida en que lo cuento.

¡Ay querencia, dolencia y apetencia!:
tus sustanciales besos, mi sustento,
me faltan y me muero sobre mayo.

Quiero que vengas, flor, desde tu ausencia,
a serenar la sien del pensamiento
que desahoga en mí su eterno rayo.

ME LLAMO barro aunque Miguel me llame[31].
Barro es mi profesión y mi destino
que mancha con su lengua cuanto lame.

Soy un triste instrumento del camino.
Soy una lengua dulcemente infame
a los pies que idolatro desplegada.

---

[31] En su total desorientación el poeta busca una expresión eficaz de su interior angustiado en imágenes muy dispares (toro, huracán, granada, mar, etc.) recurriendo ya a la metáfora clásica del Siglo de Oro, ya a modernos poetas como Aleixandre o el Neruda de *Residencia en la tierra.* Aquí siguiendo la huella de Neruda se convierte en poeta material que halla en el barro del camino el símbolo de su confuso y complejo estado psíquico, su pasión amorosa, sus ansias de enamorado y su entrega absoluta y servil a la amada. Un estado anímico en plena efervescencia cobra plasticidad y formas visibles en el símbolo del barro que embiste a los zapatos de ella, besa y siembra de flores su talón, le envía sapos como convulsos corazones o se adelanta a su pie para que lo pisotee.

Como un nocturno buey de agua y barbecho
que quiere ser criatura idolatrada,
embisto a tus zapatos y a sus alrededores,
y hecho de alfombras y de besos hecho
tu talón que me injuria beso y siembro de flores.

Coloco relicarios de mi especie
a tu talón mordiente, a tu pisada,
y siempre a tu pisada me adelanto
para que tu impasible pie desprecie
todo el amor que hacia tu pie levanto.

Más mojado que el rostro de mi llanto,
cuando el vidrio lanar del hielo bala,
cuando el invierno tu ventana cierra
bajo a tus pies un gavilán de ala,
de ala manchada y corazón de tierra.
Bajo a tus pies un ramo derretido
de humilde miel pataleada y sola,
un despreciado corazón caído
en forma de alga y en figura de ola.

Barro en vano me invisto de amapola,
barro en vano vertiendo voy mis brazos,
barro en vano te muerdo los talones,
dándote a malheridos aletazos
sapos como convulsos corazones.

Apenas si me pisas, si me pones
la imagen de tu huella sobre encima,
se despedaza y rompe la armadura
de arrope bipartido que me ciñe la boca
en carne viva y pura,
pidiéndote a pedazos que la oprima
siempre tu pie de liebre libre y loca.

Su taciturna nata se arracima,
los sollozos agitan su arboleda
de lana cerebral bajo tu paso.

Y pasas, y se queda
incendiando su cera de invierno ante el ocaso,
mártir, alhaja y pasto de la rueda.

Harto de someterse a los puñales
circulantes del carro y la pezuña,
teme del barro un parto de animales
de corrosiva piel y vengativa uña.

Teme que el barro crezca en un momento,
teme que crezca y suba y cubra tierna,
tierna y celosamente
tu tobillo de junco, mi tormento,
teme que inunde el nardo de tu pierna
y crezca más y ascienda hasta tu frente.

Teme que se levante huracanado
del blando territorio del invierno
y estalle y truene y caiga diluviado
sobre tu sangre duramente tierno.

Teme un asalto de ofendida espuma
y teme un amoroso cataclismo.

Antes que la sequía lo consuma
el barro ha de volverte de lo mismo.

COMO EL TORO ha nacido para el luto[32]
y el dolor, como el toro estoy marcado
por un hierro infernal en el costado
y por varón en la ingle con un fruto.

---

[32] El toro es ya desde el principio una constante en toda la obra hernandiana y se convierte en imagen radical de su cosmovisión. Este soneto parece una exposición detallada de los sorprendentes paralelismos que el poeta encuentra entre sí y el toro: ambos destinados al luto y al dolor (vv. 1-3), la virilidad (v. 4),

Como el toro lo encuentra diminuto
todo mi corazón desmesurado,
y del rostro del beso enamorado,
como el toro a tu amor se lo disputo.

Como el toro me crezco en el castigo,
la lengua en corazón tengo bañada
y llevo al cuello un vendaval sonoro.

Como el toro te sigo y te persigo,
y dejas mi deseo en una espada,
como el toro burlado, como el toro.

FATIGA TANTO andar sobre la arena
descorazonadora de un desierto,
tanto vivir en la ciudad de un puerto
si el corazón de barcos no se llena.

Angustia tanto el son de la sirena
oído siempre en un anclado huerto,
tanto la campanada por el muerto
que en el otoño y en la sangre suena,

---

el corazón desmesurado de ambos: el toro aparece como el gran enamorado al igual que el poeta (vv. 5-8), indomable fiereza (v. 9), exteriorización sincera de su interior (vv. 10-11), insistencia perseverante y terca (v. 12) y destino trágico de ambos (vv. 13-14). Una exposición más detallada del tema puede verse en J. Cano Ballesta, *La poesía de M. H.*, págs. 94-100, y en Pablo Carbalán, «Los toros de M. H.», en M. de G. Ifach, *Miguel Hernández*, págs. 175-180. J. M. Balcells descubre abundantes ecos de Quevedo en todo *El rayo* y subraya cómo uno de ellos es esta identificación del toro «con el sufrido enamorado». L. de Luis, por su parte, indica el soneto de Quevedo «¿Ves con el polvo de la lid sangrienta...» como precedente de éste. En ambos «se emplea la univocidad con el toro para retransmitir, por vía plástica, la fuerza ardiente y contradictoria del amor». Balcells señala el impacto del verso de Quevedo «para ti, que naciste al luto y llanto» en el primer verso de este soneto de Miguel Hernández (J. M. Balcells, «De Quevedo a M. H», *Revista del Instituto de Estudios Alicantinos,* mayo-agosto 1982, págs. 89-90).

que un dulce tiburón, que una manada
de inofensivos cuernos recentales,
habitándome días, meses y años,

ilustran mi garganta y mi mirada
de sollozos de todos los metales
y de fieras de todos los tamaños.

AL DERRAMAR tu voz su mansedumbre
de miel bocal, y al puro bamboleo,
en mis terrestres manos el deseo
sus rosas pone al fuego de costumbre.

Exasperado llego hasta la cumbre
de tu pecho de isla, y lo rodeo
de un ambicioso mar y un pataleo
de exasperados pétalos de lumbre.

Pero tú te defiendes con murallas
de mis alteraciones codiciosas
de sumergirte en tierras y océanos.

Por piedra pura, indiferente, callas:
callar de piedra, que otras y otras rosas
me pones y me pones en las manos.

POR UNA SENDA van los hortelanos,
que es la sagrada hora del regreso,
con la sangre injuriada por el peso
de inviernos, primaveras y veranos.

Vienen de los esfuerzos sobrehumanos
y van a la canción, y van al beso,
y van dejando por el aire impreso
un olor de herramientas y de manos.

Por otra senda yo, por otra senda
que no conduce al beso aunque es la hora,
sino que merodea sin destino.

Bajo su frente trágica y tremenda[33],
un toro solo en la ribera llora
olvidando que es toro y masculino.

[33] A la hora del atardecer, cuando los hortelanos, agotados por el trabajo, vuelven al descanso y al amor del hogar, el poeta siente más hondamente su soledad «que no conduce al beso aunque es la hora» y ve en el toro que pace en la ribera, «de frente trágica y tremenda», el espejo o símbolo de su propia existencia alejada de los goces del beso y del amor.

## ELEGÍA[34]

(En Orihuela, su pueblo y el mío, se me ha muerto como del rayo Ramón Sijé, con quien tanto quería.)

YO QUIERO ser llorando el hortelano
de la tierra que ocupas y estercolas,
compañero del alma, tan temprano.

Alimentando lluvias, caracolas
y órganos mi dolor sin instrumento,
a las desalentadas amapolas

daré tu corazón por alimento.
Tanto dolor se agrupa en mi costado,
que por doler me duele hasta el aliento.

Un manotazo duro, un golpe helado,
un hachazo invisible y homicida,
un empujón brutal te ha derribado.

---

[34] Esta «Elegía», una de las obras maestras de la poesía hernandiana y española, fue escrita unas dos semanas después de la muerte de Ramón Sijé, ocurrida el 24 de diciembre de 1935, y suscitó calurosos elogios y gestos de aprecio por parte de J. Ortega, Gregorio Marañón y Juan Ramón Jiménez. También ha provocado abundantes comentarios críticos, como los de M. Mayoral: «M. H.: Elegía», *Poesía Española Contemporanea, Análisis de textos*, Madrid, Ed. Gredos, 1973, págs. 197-215; E. Camacho Guizado, *La elegía funeral en la poesía española*, Madrid, Ed. Gredos, 1969, págs. 365-367; Ana María Facundo, «Emotividad y expresión en la "Elegía a Ramón Sijé"», M. de G. Ifach, *Miguel Hernández*, páginas 253-257 y J. Cano Ballesta, *La poesía de M. H.*, págs. 208-212.

No hay extensión más grande que mi herida,
lloro mi desventura y sus conjuntos
y siento más tu muerte que mi vida.

Ando sobre rastrojos de difuntos,
y sin calor de nadie y sin consuelo
voy de mi corazón a mis asuntos.

Temprano levantó la muerte el vuelo,
temprano madrugó la madrugada,
temprano estás rodando por el suelo.

No perdono a la muerte enamorada,
no perdono a la vida desatenta,
no perdono a la tierra ni a la nada.

En mis manos levanto una tormenta
de piedras, rayos y hachas estridentes
sedienta de catástrofes y hambrienta.

Quiero escarbar la tierra con los dientes,
quiero apartar la tierra parte a parte
a dentelladas secas y calientes.

Quiero minar la tierra hasta encontrarte
y besarte la noble calavera
y desamordazarte y regresarte.

Volverás a mi huerto y a mi higuera:
por los altos andamios de las flores
pajareará tu alma colmenera

de angelicales ceras y labores.
Volverás al arrullo de las rejas
de los enamorados labradores.

Alegrarás la sombra de mis cejas,
y tu sangre se irán a cada lado
disputando tu novia y las abejas.

Tu corazón, ya terciopelo ajado,
llama a un campo de almendras espumosas
mi avariciosa voz de enamorado.

A las aladas almas de las rosas
del almendro de nata te requiero,
que tenemos que hablar de muchas cosas,
compañero del alma, compañero.

(10 de enero de 1936.)

## ELEGÍA[35]

(En Orihuela, su pueblo y el mío, se ha quedado novia por casar la panadera de pan más trabajado y fino, que le han muerto la pareja del ya imposible esposo.)

TENGO ya el alma ronca y tengo ronco
el gemido de música traidora...
Arrímate a llorar conmigo a un tronco:

retírate conmigo al campo y llora
a la sangrienta sombra de un granado
desgarrado de amor como tú ahora.

Caen desde un cielo gris desconsolado,
caen ángeles cernidos para el trigo
sobre el invierno gris desocupado.

Arrímate, retírate conmigo:
vamos a celebrar nuestros dolores
junto al árbol del campo que te digo.

---

[35] Esta segunda «Elegía» está dirigida a Josefina Fenoll, novia del entonces recién fallecido Ramón Sijé, y hermana de Carlos y Efrén Fenoll. En carta de Miguel a Carlos Fenoll le dice el 29 de enero de 1936: «Estoy a punto de acabar una segunda elegía sobre la muerte de Sijé y en ella la persona a quien me dirijo es tu hermana.» Los tres hermanos trabajaban en la panadería de la familia situada en la calle de Arriba, 5, que se convirtió en centro de reunión y tertulia, donde Miguel entró en contacto con Ramón Sijé y con un pequeño círculo de amigos con aficiones literarias.

Panadera de espigas y de flores,
panadera lilial de piel de era,
panadera de panes y de amores.

No tienes ya en el mundo quien te quiera,
y ya tus desventuras y las mías
no tienen compañera, compañera.

Tórtola compañera de sus días,
que le dabas tus dedos cereales
y en su voz tu silencio entretenías.

Buscando abejas va por los panales
el silencio que ha muerto de repente
en su lengua de abejas torrenciales.

No esperes ver tu párpado caliente
ni tu cara dulcísima y morena
bajo los dos solsticios de su frente.

El moribundo rostro de tu pena
se hiela y desendulza grado a grado
sin su labor de sol y de colmena.

Como una buena fiebre iba a tu lado,
como un rayo dispuesto a ser herida,
como un lirio de olor precipitado.

Y sólo queda ya de tanta vida
un cadáver de cera desmayada
y un silencio de abeja detenida.

¿Dónde tienes en esto la mirada
si no es descarriada por el suelo,
si no es por la mejilla trastornada?

Novia sin novio, novia sin consuelo,
te advierto entre barrancos y huracanes
tan extensa y tan sola como el cielo.

Corazón de relámpago y afanes,
paginaba los libros de tus rosas,
apacentaba el hato de tus panes.

Ibas a ser la flor de las esposas,
y a pasos de relámpago tu esposo
se te va de las manos harinosas.

Échale, harina, un toro clamoroso
negro hasta cierto punto a tu menudo
vellón de lana blanco y silencioso.

A echar copos de harina yo te ayudo
y a sufrir por lo bajo, compañera,
viuda de cuerpo y de alma yo vïudo.

La inaplacable muerte nos espera
como un agua incesante y malparida
a la vuelta de cada vidrïera.

¡Cuántos amargos tragos es la vida!
Bebió él la muerte y tú la saboreas
y yo no saboreo otra bebida.

Retírate conmigo hasta que veas
con nuestro llanto dar las piedras grama,
abandonando el pan que pastoreas.

Levántate: te esperan tus zapatos
junto a los suyos muertos en tu cama,
y la lluviosa pena en sus retratos
desde cuyos presidios te reclama.

*Otros poemas sueltos*
*(1935-1936)*

## MI SANGRE ES UN CAMINO[36]

ME EMPUJA a martillazos y a mordiscos,
me tira con bramidos y cordeles
del corazón, del pie, de los orígenes,
me clava en la garganta garfios dulces,
erizo entre mis dedos y mis ojos,
enloquece mis uñas y mis párpados,
rodea mis palabras y mi alcoba
de hornos y herrerías,
la dirección altera de mi lengua,
y sembrando de cera su camino
hace que caiga torpe derretida.

---

[36] La poesía de Miguel Hernández experimenta durante 1935 una transformación profunda como prueba este poema escrito probablemente en septiembre. Obsesivas imágenes del subconsciente, motivos sexuales en toda su virulencia salen a la superficie mostrando la fuerza arrolladora de los instintos y probando lo fuertemente arraigados que se hallan estos temas en la cosmovisión hernandiana. La «impureza» poética ha triunfado definitivamente en la obra y en la persona del poeta de Orihuela. Miguel está ya muy lejos del conservadurismo provinciano de *El Gallo Crisis.* No extraña la amarga y violenta respuesta que desde Orihuela le envía su entrañable Ramón Sijé aludiendo a *Caballo Verde para la Poesía:* «Caballo impuro y sectario; en la segunda salida juega al caballito puro y de cristal... Quien sufre mucho eres tú, Miguel. Algún día echaré a "alguien" la culpa de tus sufrimientos humano-poéticos actuales. Transformación terrible y cruel. Me dice todo esto la lectura de tu poema *Mi sangre es un camino.* Efectivamente, camino de caballos melancólicos. Mas no camino de hombre, camino de dignidad de persona humana. Nerudismo (¡qué horror, Pablo y selva, ritual narcisista e infrahumano de entrepiernas, de vello de partes prohibidas y de prohibidos caballos!); aleixandrismo; albertismo. Una sola imagen verdadera: la prolongación eterna de los padres. Lo demás, lo menos tuyo» (J. Cano Ballesta, *La poesía de M. H.,* pág. 40).

Mujer, mira una sangre,
mira una blusa de azafrán en celo,
mira un capote líquido ciñéndose en mis huesos
como descomunales serpientes que me oprimen
acarreando angustia por mis venas.

Mira una fuente alzada de amorosos collares
y cencerros de voz atribulada
temblando de impaciencia por ocupar tu cuello,
un dictamen feroz, una sentencia,
una exigencia, una dolencia, un río
que por manifestarse se da contra las piedras,
y penden para siempre de mis
relicarios de sangre desgarrada.

Mírala con sus chivos y sus toros suicidas
corneando cabestros y montañas,
rompiéndose los cuernos a topazos,
mordiéndose de rabia las orejas,
buscándose la muerte de la frente a la cola.

Manejando mi sangre, enarbolando
revoluciones de carbón y yodo
agrupado hasta hacerse corazón,
herramientas de muerte, rayos, hachas,
y barrancos de espuma sin apoyo,
ando pidiendo un cuerpo que manchar.

Hazte cargo, hazte cargo
de una ganadería de alacranes
tan rencorosamente enamorados,
de un castigo infinito que me parió y me agobia
como un jornal cobrado en triste plomo.

La puerta de mi sangre está en la esquina
del hacha y de la piedra,
pero en ti está la entrada irremediable.

Necesito extender este imperioso reino,
prolongar a mis padres hasta la eternidad,
y tiendo hacia ti un puente de arqueados corazones
que ya se corrompieron y que aún laten.

No me pongas obstáculos que tengo que salvar,
no me siembres de cárceles,
no bastan cerraduras ni cementos,
no, a encadenar mi sangre de alquitrán inflamado
capaz de despertar calentura en la nieve.

¡Ay qué ganas de amarte contra un árbol,
ay qué afán de trillarte en una era,
ay qué dolor de verte por la espalda
y no verte la espalda contra el mundo!

Mi sangre es un camino ante el crepúsculo
de apasionado barro y charcos vaporosos
que tiene que acabar en tus entrañas,
un dépósito mágico de anillos
que ajustar a tu sangre,
un sembrado de lunas eclipsadas
que han de aumentar sus calabazas íntimas,
ahogadas en un vino con canas en los labios,
al pie de tu cintura al fin sonora.

Guárdame de sus sombras que graznan fatalmente
girando en torno mío a picotazos,
girasoles de cuervos borrascosos.
No me consientas ir de sangre en sangre
como una bala loca,
no me dejes tronar solo y tendido.

Pólvora venenosa propagada,
ornado por los ojos de tristes pirotecnias,
panal horriblemente acribillado
con un mínimo rayo doliendo en cada poro,
gremio fosforescente de acechantes tarántulas
no me consientas ser. Atiende, atiende

a mi desesperado sonreír,
donde muerdo la hiel por sus raíces
por las lluviosas penas recorrido.
Recibe esta fortuna sedienta de tu boca
que para ti heredé de tanto padre.

## SINO SANGRIENTO[37]

DE SANGRE en sangre vengo
como el mar de ola en ola,
de color de amapola el alma tengo,
de amapola sin suerte es mi destino,
y llego de amapola en amapola
a dar en la cornada de mi sino.

Criatura hubo que vino
desde la sementera de la nada,
y vino más de una,
bajo el designio de una estrella airada
y en turbulenta y mala luna.

Cayó una pincelada
de ensangrentado pie sobre mi vida,
cayó un planeta de azafrán en celo,
cayó una nube roja enfurecida,
cayó un mar malherido, cayó un cielo.

---

[37] Publicado en *Revista de Occidente*, núm. 156, junio 1936. El poema fue probablemente provocado por un incidente ocurrido a Miguel Hernández el 7 de enero de 1936, en que unos guardias civiles le detuvieron, registraron y abofetearon, como consta en la protesta que los más conocidos intelectuales madrileños publicaron en *El Socialista*, el 16 de enero de 1936. Este documento puede verse en PPG 37-39. Pero el poema trasciende toda anécdota para centrarse en la sangre en su doble sentido biológico (potencia vital) y fatídico (como destino inevitable) y convertirse en vigorosa expresión de una constante básica de la cosmovisión hernandiana de complejo significado. El poema logra su momento de máximo vigor al cantar la fuerza arrebatadora de la sangre como río de coléricos raudales, contra cuya corriente lucha el poeta impotente y desesperado (vv. 75-86). El central mito de la sangre, en su gran riqueza de contenido, ha sido estudiado por Javier Herrero, «Miguel Hernández: sangre y guerra», *Symposium*, Syracuse University, vol. XXII, 1968, págs. 144-152.

Vine con un dolor de cuchillada,
me esperaba un cuchillo a mi venida,
me dieron a mamar leche de tuera,
zumo de espada loca y homicida,
y al sol el ojo abrí por vez primera
y lo que vi primero era una herida
y una desgracia era.

Me persigue la sangre, ávida fiera,
desde que fui fundado,
y aún antes de que fuera
proferido, empujado
por mi madre a esta tierra codiciosa
que de los pies me tira y del costado,
y cada vez más fuerte, hacia la fosa.

Lucho contra la sangre, me debato
contra tanto zarpazo y tanta vena,
y cada cuerpo que tropiezo y trato
es otro borbotón de sangre, otra cadena.

Aunque leves, los dardos de la avena
aumentan las insignias de mi pecho:
en él se dio el amor a la labranza,
y mi alma de barbecho
hondamente ha surcado
de heridas sin remedio ni esperanza
por las ansias de muerte de su arado.

Todas las herramientas en mi acecho:
el hacha me ha dejado
recónditas señales,
las piedras, los deseos y los días
cavaron en mi cuerpo manantiales
que sólo se tragaron las arenas
y las melancolías.

Son cada vez más grandes las cadenas,
son cada vez más grandes las serpientes,

más grande y más cruel su poderío,
más grandes sus anillos envolventes,
más grande el corazón, más grande el mío.

En su alcoba poblada de vacío,
donde sólo concurren las visitas,
el picotazo y el color de un cuervo,
un manojo de cartas y pasiones escritas,
un puñado de sangre y una muerte conservo.

¡Ay sangre fulminante,
ay trepadora púrpura rugiente,
sentencia a todas horas resonante
bajo el yunque sufrido de mi frente!

La sangre me ha parido y me ha hecho preso,
la sangre me reduce y me agiganta,
un edificio soy de sangre y yeso
que se derriba él mismo y se levanta
sobre andamios de huesos.

Un albañil de sangre, muerto y rojo,
llueve y cuelga su blusa cada día
en los alrededores de mi ojo,
y cada noche con el alma mía,
y hasta con las pestañas lo recojo.

Crece la sangre, agranda
la expansión de sus frondas en mi pecho,
que álamo desbordante se desmanda
y en varios torvos ríos cae deshecho.

Me veo de repente
envuelto en sus coléricos raudales,
y nado contra todos desesperadamente
como contra un fatal torrente de puñales.

Me arrastra encarnizada su corriente,
me despedaza, me hunde, me atropella,

quiero apartarme de ella a manotazos,
y se me van los brazos detrás de ella,
y se me van las ansias en los brazos.

Me dejaré arrastrar hecho pedazos,
ya que así se lo ordenan a mi vida
la sangre y su marea,
los cuerpos y mi estrella ensangrentada.
Seré una sola y dilatada herida,
hasta que dilatadamente sea
un cadáver de espuma: viento y nada.

## ÉGLOGA[38]

...o convertido en agua, aquí llorando,
podréis allá despacio consolarme.

(GARCILASO.)

UN CLARO caballero de rocío,
un pastor, un guerrero de relente,
eterno es bajo el Tajo; bajo el río
de bronce decidido y transparente.

Como un trozo de puro escalofrío
resplandece su cuello, fluye y yace,
un cernido sudor sobre su frente
le hace corona y tornasol le hace.

---

[38] Fue publicada en *Revista de Occidente,* núm. 156, junio de 1936. El poeta, en un lenguaje delicado y purísimo, bebido en las églogas de Garcilaso, va describiendo el cuerpo del «claro caballero de rocío», que descansa en el fondo del Tajo acariciado por las aguas, a las que vivifica convirtiéndolas en «una efusiva y amorosa cota de mujeres de vidrio avaricioso» (las ninfas). Éstas nos recuerdan a las ninfas de la Égloga III de Garcilaso descritas así:

Peinando sus cabellos de oro fino,
una ninfa, del agua, do moraba,
la cabeza sacó...

El agua clara con lascivo juego
nadando dividieron y cortaron...

Giovanni Caravaggi, «Un claro caballero de rocío», en M. de G. Ifach, *Miguel Hernández,* págs. 262-270, nota en la estructura de la égloga «dos partes bien perceptibles»: a) la pintura del claro caballero sepultado en las aguas del Tajo

El tiempo ni lo ofende ni lo ultraja,
el agua lo preserva del gusano,
lo defiende del polvo, y lo amortaja
y lo alhaja de arena grano a grano.

Un silencio de aliento toledano
lo cubre y lo corteja,
y sólo va silencio a su persona
y en el silencio sólo hay una abeja.

Sobre su cuerpo el agua se emociona
y bate su cencerro circulante
lleno de hondas gargantas doloridas.

Hay en su sangre fértil y distante
un enjambre de heridas:
diez de soldados y las demás de amante.

Dulce y varón, parece desarmado
un dormido martillo de diamante,
su corazón un pez maravillado
y su cabeza rota
una granada de oro apedreado
con un dulce cerebro en cada gota.

---

(vv. 1-47); b) la constatación por el poeta angustiado del paralelismo de su destino con el de Garcilaso. Caravaggi concluye:

> Comparativamente, las dos figuras de «cuerpo presente», la Elisa de Garcilaso y el Garcilaso de Hernández, resultan concebidas bajo una estrecha analogía. En realidad, Miguel ha traspasado «bajo el Tajo», «bajo el río» (verso 3) la escena que en Garcilaso se desarrolla, por el contrario, «cerca del agua» (v. 229; también v. 57: «cerca del Tajo»); una idéntica vivencia se desenvuelve en la florida orilla del río y en sus aguas transparentes. El cambio de escenario permite a Hernández una notable libertad de movimientos con respecto a la tipificación bucólica del lamento. Pero la ninfa que yace desangrada sobre la hierba, como un blanco cisne, y el caballero con el cráneo hecho pedazos, como una granada de oro, ofrecen asimismo una común búsqueda de contrastes cromáticos (pág. 270).

Véase también J. Cano Ballesta, *La poesía de M. H.*, págs. 136-139.

Una efusiva y amorosa cota
de mujeres de vidrio avaricioso,
sobre el alrededor de su cintura
con un cedazo gris de nada pura
garbilla el agua, selecciona y tañe,
para que no se enturbie ni se empañe
tan diáfano reposo
con ninguna porción de especie oscura.
El coro de sus manos merodea
en torno al caballero de hermosura
sin un dolor ni un arma,
y el de sus bocas de humedad rodea
su boca que aún parece que se alarma.

En vano quiere el fuego hacer ceniza
tus descansadamente fríos huesos
que ha vuelto el agua juncos militares.
Se riza ilastimable y se desriza
el corazón aquel donde los besos
tantas lágrimas fueron y pesares.

Diáfano y querencioso caballero,
me siento atravesado del cuchillo
de tu dolor, y si lo considero
fue tu dolor tan grande y tan sencillo.
Antes de que la voz se me concluya,
pido a mi lengua el alma de la tuya
para descarriar entre las hojas
este dolor de recomida grama
que llevo, estas congojas
de puñal a mi silla y a mi cama.
Me ofende el tiempo, no me da la vida
al paladar ni un breve refrigerio
de afectuosa miel bien concedida[39]
y hasta el amor me sabe a cementerio.

---

[39] Retengo en este verso «afectuosa» siguiendo la versión original del texto según aparece en *Cruz y Raya,* junio de 1936, distanciándose de A. Sánchez Vidal, quien sin justificación alguna trae «efectuosa» (PC 433).

Me quiero distraer de tanta herida.
Me da cada mañana
con decisión más firme
la desolada gana
de cantar, de llorar y de morirme.

Me quiero despedir de tanta pena,
cultivar los barbechos del olvido
y si no hacerme polvo, hacerme arena:
de mi cuerpo y su estruendo,
de mis ojos al fin desentendido,
sesteando, olvidando, sonriendo,
lejos del sentimiento y del sentido.

A la orilla leal del leal Tajo
viene la primavera en este día
a cumplir su trabajo
de primavera afable, pero fría.

Abunda en galanía
y en párpados de nata
el madruguero almendro que comprende
tan susceptible flor que un soplo mata
y una mirada ofende.
Nace la lana en paz y con cautela
sobre el paciente cuello del ganado,
hace la rosa su quehacer y vuela
y el lirio nace serio y desganado.

Nada de cuanto miro y considero
mi desaliento anima,
si tú no eres, claro caballero.
Como un loco acendrado te persigo:
me cansa el sol, el viento me lastima
y quiero ahogarme por vivir contigo.

## EL AHOGADO DEL TAJO

*(Gustavo Adolfo Bécquer)*

NO, NI POLVO ni tierra;
incallable metal líquido eres.

Un flujo de campanas de bronce turbio y trémulo
un galope de espadas de acero circulante jamás enmohecido,
te preservan del polvo.
Y en vano se descuelga de los cuadros
para invadirte: te defiende el agua;
y en vano está la tierra reclamando su presa
haciendo un hueco íntimo en la grama.

Guitarras y arpas, liras y sollozos,
sollozos y canciones te sumergen en música.

Ahogado estás, alimentando flautas
en los cañaverales.

Todo lo ves tras vidrios y ternuras
desde un Toledo de agua sin turismo
con cancelas y muros de especies luminosas.
¡Qué maitines te suenan en los huesos,
qué corros te rodean de llanto femenino,
qué ataúdes de luna acelerada
renuevan sus rebaños de espuma afectuosa a cada instante!
¿Te acuerdas de la vida,
compañero del sapo que humedece las aguas con su silbo?

¿Te acuerdas del amor que agrega corazón,
quita cabellos, cría toros fieros?
¿Te acuerdas que sufrías oyendo las campanas,
mirando los sepulcros y los bucles,
errando por las tardes de difuntos,
manando sangre y barro que un alfarero luego
recogió para hacer botijos y macetas?

Cuando la luna vierte su influencia
en las aguas, las venas y las frutas,
por su rayo atraído flotas entre dos aguas
cubierto por las ranas de verdes corazones.

Tu morada es el Tajo: ahí estás para siempre
dedicado a ser cisne por completo.
Las cosas no se nublan más en tu corazón;
tu corazón ya tiene la dirección del río;
los besos no se agolpan en tu boca
angustiada de tanto contenerlos;
eres todo de bronce navegable;
de infinitos carrizos custodiosos,
de acero dócil hacia el mar doblado
que lavará tu muerte toda una eternidad.

## ODA ENTRE ARENA Y PIEDRA A VICENTE ALEIXANDRE[40]

TU PADRE el mar te condenó a la tierra
dándote un asesino manotazo
que hizo llorar a los corales sangre.

Las afectuosas arenas de pana torturada,
siempre con sed y siempre silenciosas,
recibieron tu cuerpo con la herencia
de otro mar borrascoso dentro del corazón,
al mismo tiempo que una flor de conchas
deshojada de párpados y arrugada de siglos,
que hasta el nácar se arruga con el tiempo.

Lo primero que hiciste fue llorar en la costa,
donde soplando el agua hasta volverla iris polvoriento
tu padre se quedó despedazando su colérico amor
entre desesperados pataleos.

Abrupto amor del mar, que abruptas penas
provocó con su acción huracanada.

---

[40] Tras la publicación, a mediados de 1935, de *La destrucción o el amor*, Miguel, siempre en estrecheces económicas, se lo pide a Vicente Aleixandre. Éste lo invita y se lo regala. Entre ambos va creciendo una amistad honda y duradera. Es la lectura de este libro la que le sugiere esta *Oda*, escrita en agosto o septiembre de 1935, de temática aleixandrina, ritmo libre e imagen surrealista, que gustó plenamente a Vicente Aleixandre. Éste le escribe el 23 de septiembre de 1935: «Sí, Miguel, tu oda tiene estrofas muy buenas, versos magníficos y su conjunto me satisface plenamente y me llena de alegría.»

¿Dónde ir con tu sangre de mar exasperado,
con tu acento de mar y tu revuelta lengua clamorosa
de mar cuya ternura no comprenden las piedras?
¿Dónde? Y fuiste a la tierra.

Y las vacas sonaron su caracol abundante
pariendo con los cuernos clavados en los estercoleros.
Las colinas, los pechos femeninos
y algunos corazones solitarios
se hicieron emisarios de las islas.
La sandía, tronando de alegría,
se abrió en múltiples cráteres
de abotonado hielo ensangrentado.
Y los melones, mezcla
de arrope asible y nieve atemperada,
a dulces cabezadas se toparon.

Pero aquí, en este mundo que se resuelve en hoyos,
donde la sangre ha de contarse por parejas,
las pupilas por cuatro y el deseo por millares,
¿qué puede hacer tu sangre,
el castigo mayor que tu padre te impuso,
qué puede hacer tu corazón, engendro
de una ola y un sol tumultuosos?

Tiznarte y más tiznarte con las cejas
y las miradas negras de las demás criaturas,
llevarte de huracán en huracanes
mordiéndote los codos de cólera amorosa.

Labranzas, siembras, podas
y las otras fatigas de la tierra;
serpientes que preparan una piel anual,
nardos que dan las gracias oliendo a quien los cuida,
selvas con animales de rizado marfil
que anudan su deseo por varios días,
tan diferentemente de los chivos
cuyo amor es ejemplo de relámpagos,
toros de corazón tan dilatado

que pueden refugiar un picador desperezándose,
piedras, Vicente, piedras, hasta rebeldes piedras
que sólo el sol de agosto logra hacer corazones,
hasta inhumanas piedras
te llevan al olvido de tu nación: la espuma.

Pero la cicatriz más dura y vieja
reverdece en herida al menor golpe.
La sal, la ardiente sal que presa en el salero
hace memoria de su vida de pájaro y columpio,
llegando a casi líquida y azul en los días más húmedos;
sólo la sal, la siempre constelada,
te acuerda que naciste en un lecho de algas, marinero,
¡oh tú el más combatido por la tierra,
oh tú el más rodeado de erizados rastrojos!,
cuando toca tu lengua su astral polen.

Te recorre el Océano los huesos
relampagueando perdurablemente,
tu corazón se enjoya con peces y naufragios,
y con coral, retrato del esqueleto de tu corazón,
y el agua en plenilunio con alma de tronada
te sube por la sangre a la cabeza como un vino con alas
y desemboca, ya serena, por tus ojos.

Tu padre el mar te busca arrepentido
de haberte desterrado de su flotante corazón crispado,
el más hermoso imperio de la luna,
cada vez más amargo.
Un día ha de venir detrás de cualquier río
de esos que lo combaten insuficientemente,
arrebatando huevos a las águilas
y azúcar al panal que volverá salobre,
a desfilar desde tu boca atribulada
hasta tu pecho, ciudad de las estrellas.
Y al fin serás objeto de esa espuma
que tanto te lastima idolatrarla.

## ODA ENTRE SANGRE Y VINO
## A PABLO NERUDA[41]

PARA CANTAR ¡qué rama terminante,
qué espeso aparte de escogida selva,
qué nido de botellas, pez y mimbres,
con qué sensibles ecos, la taberna!

Hay un rumor de fuente vigorosa
que yo me sé, que tú, sin un secreto,
con espumas creadas por los vasos
y el ansia de brotar y prodigarse.

---

[41] Esta «Oda» debió ser compuesta, según F. Martínez Marín, en septiembre de 1935, y confirma plenamente el vuelco total de la poética hernandiana. Ya en la primavera de 1935, en carta a Juan Guerrero, confesaba Miguel: «estaba mintiendo a mi voz y a mi naturaleza terrena hasta más no poder, estaba traicionándome y suicidándome tristemente» y también expresaba su distanciamiento de «la política católica y dañina de *Cruz y Raya»* y de «la exarcerbada y triste revista de nuestro amigo Sijé» *[El Gallo Crisis]* (Cfr. «M. H. y su amistad con Pablo Neruda», en J. Cano Ballesta, *La poesía de M. H.*, págs. 276 y 269-311). Responde, pues, esta «Oda» a la nueva estética de la «impureza», donde caben los motivos sexuales y temas sórdidos como proyección del reprimido mundo del subconsciente. El poeta cita a Neruda a la intimidad de la taberna (v. 12), va describiendo su entrada (vv. 21-23) y evoca su mundo desorganizado y caótico de caracolas, cencerros, novillos destetados, cuernos, cántaros, tinajas, sexos y toros, presidido por el vino como símbolo de esa embriaguez con que Neruda se entrega al disfrute sensual de la realidad multiforme. Termina describiendo la salida de la taberna (vv. 128-134). En este marco sencillo ha evocado facetas muy nerudianas como esa naturaleza pletórica de vitalidad, desbordada e incontenible: «versos completamente anárquicos», imágenes angustiosas y «su voz pasional, desolada, tierna y lúgubre», como diría más adelante el poeta de Orihuela.

En este aquí más íntimo que un alma,
más cárdeno que un beso del invierno,
con vocación de púrpura y sagrario,
en este aquí te cito y te congrego,
de este aquí deleitoso te rodeo.

De corazón cargado, no de espaldas,
con una comitiva de sonrisas
llegas entre apariencias de océano
que ha perdido sus olas y sus peces
a fuerza de entregarlos a la red y a la playa.

Con la boca cubierta de raíces
que se adhieren al beso como ciempieses fieros,
pasas ante paredes que chorrean
capas de cardenales y arzobispos,
y mieras, arropías, humedades
que solicitan tu asistencia de árbol
para darte el valor de la dulzura.

Yo que he tenido siempre dos orígenes
un antes de la leche en mi cabeza
y un presente de ubres en mis manos;
yo que llevo cubierta de montes la memoria
y de tierra vinícola la cara,
esta cara de surco articulado:
yo que quisiera siempre, siempre, siempre,
habitar donde habitan los collares:
en un fondo de mar o en un cuello de hembra,
oigo tu voz, tu propia caracola,
tu cencerro dispuesto a ser guitarra,
tu trompa de novillo destetado,
tu cuerpo de sollozo invariable.

Viene a tu voz el vino episcopal,
alhaja de los besos y los vasos
informado de risas y solsticios,
y malogrando llantos y suicidios,
moviendo un rabo lleno de rubor y relámpagos,

nos relame, buey bueno, nos circunda
de lenguas tintas, de efusivo oriámbar,
barriles, cubas, cántaros, tinajas,
caracolas crecidas de cadera
sensibles a la música y al golpe,
y una líquida pólvora nos alumbra y nos mora,
y entonces le decimos al ruiseñor que beba
y su lengua será más fervorosa.

Órganos liquidados, tórtolas y calandrias
exprimidas y labios desjugados;
imperios de granadas informales,
toros, sexos y esquilas derretidos,
desembocan temblando en nuestros dientes
e incorporan sus altos privilegios
con toda propiedad a nuestra sangre.

De nuestra sangre ahora surten crestas,
espolones, cerezas y amarantos;
nuestra sangre de sol sobre la trilla
vibra martillos, alimenta fraguas,
besos inculca, fríos aniquila,
ríos por desbravar, potros esgrime
y espira por los ojos, los dedos y las piernas
toradas desmandadas, chivos locos.

Corros en ascuas de irritadas siestas,
cuando todo tumbado es tregua y horizonte
menos la sangre siempre esbelta y laboriosa,
nos introducen en su atmósfera agrícola:
racimos asaltados por avispas coléricas
y abejorros tañidos; racimos revolcados
en esas delicadas polvaredas
que hacen en su alboroto mariposas y lunas;
culebras que se elevan y silban sometidas
a un régimen de luz dictatorial;
chicharras que conceden por sus élitros
aeroplanos, torrentes, cuchillos afilándose,
chicharras que anticipan la madurez del higo,

libran cohetes, elaboran sueños,
trenzas de esparto, flechas de insistencia
y un diluvio de furia universal.

Yo te veo entre vinos minerales
resucitando condes, desenterrando amadas,
recomendando al sueño pellejos cabeceros,
recomendables ubres múltiples de pezones,
con una sencillez de bueyes que sestean.
Cantas, sangras y cantas; te pones a sangrar
y no son suficientes tus heridas
ni el vientre todo tallo donde tu sangre cuaja.
Cantas, sangras y cantas.
Sangras y te ensimismas
como un cordero cuando pace o sueña.
Y miras más allá de los allases
con las venas cargadas de mujeres y barcos,
mostrando en cada parte de tus miembros
la bipartida huella de una boda,
la más dulce pezuña que ha pisado,
mientras estás sangrando al compás de los grifos.

A la vuelta de ti, mientras cantas y estragas
como una catarata que ha pasado
por entrañas de aceros y mercurios,
en tanto que demuestras desangrándote
lo puro que es soltar las riendas a las venas,
y veo entre nosotros coincidencias de barro,
referencias de ríos que dan vértigo y miedo
porque son destructoras, casi rayos,
sus corrientes que todo lo arrebatan;
a la vuelta de ti, a la del vino,
millones de rebeldes al vino y a la sangre
que miran boquiamargos, cejiserios,
se van del sexo al cielo, santos tristes,
negándole a las venas y a las viñas
su desembocadura natural:
la entrepierna, la boca, la canción,
cuando la vida pasa con las tetas al aire.

Alrededor de ti y el vino, Pablo,
todo es chicharra loca de frotarse,
de darse a la canción y a los solsticios
hasta callar de pronto hecha pedazos,
besos de pura cepa, brazos que han comprendido
su destino de anillo de pulsera: abrazar.

Luego te callas, pesas con tu gesto de hondero
que ha librado la piedra y la ha dejado
cuajada en un lucero persuasivo,
y vendimiando inconsolables lluvias,
procurando alegría y equilibrio,
te encomiendas al alba y las esquinas
donde describes letras y serpientes
con tu palma de orín inacabable,
te arrancas las raíces que te nacen
en todo lo que tocas y contemplas
y sales a una tierra bajo la cual existen
yacimientos de cuernos, toreros y tricornios.

## RELACIÓN QUE DEDICO A MI AMIGA DELIA[42]

¡Qué suavidad de lirio acariciado
en tu delicadeza de lavandera de objetos de cristal,
Delia, con tu cintura hecha para el anillo
con los tallos de hinojo más apuestos,
Delia, la de la pierna edificada con liebres perseguidas,
Delia, la de los ojos boquiabiertos
del mismo gesto y garbo de las erales cabras!
En tu ternura hallan su origen los cogollos,
tu ternura es capaz de abrazar a los cardos
y en ella veo un agua que pasa y no se altera
entre orillas ariscas de zarza y tauromaquia.
Tu cabeza de espiga se vence hacia los lados
con un desmayo de oro cansado de abundar
y se yergue relampagueando trigo por todas partes.

---

[42] El poeta encuentra aquí formulaciones metafóricas que resultan muy novedosas y desacostumbradas. Tal vez se está haciendo eco de ciertos poemas surrealistas como «L' union libre» de André Breton y «Clin d'oeil» de Benjamin Péret. Tanto el poema de Hernández como el de Péret van dirigidos a una dama, Delia o Rosa, y utilizan verso libre y estructuras sintácticas paralelas como vemos en los versos 3-6 de Hernández comparados con estos de Péret:

> Ma femme a la taille de loutre entre les dents du tigre
> Ma femme á la bouche de cocard...
> Ma femme á la langue d'hostie poignardée

Un material imaginativo tradicional, o muy próximo a él, adopta en este poema formas originales y bellísimas. El verso se desborda de vida, frescor y dinamismo, en la más genuina voz del poeta pastor, al comparar la cabellera de Delia con un campo de trigo (vv. 12-14).

Tienes por lengua arropes agrupados,
por labios nivelados terciopelos,
tu voz pasa a través de un mineral racimo
y, una vez cada año, de una iracunda, pero dulce colmena.

* * *

No encontraréis a Delia si no muy repartida como el pan
[de los pobres
detrás de una ventana besable: su sonrisa,
queriendo apaciguar la cólera del fuego,
domar el alma rústica de la herradura y el pedernal.

Ahí estás respirando plumas como los nidos
y ofreciendo unos dedos de afectuosa lana.

## SONREÍDME[43]

VENGO muy satisfecho de librarme
de la serpiente de las múltiples cúpulas,
la serpiente escamada de casullas y cálices:
su cola puso acíbar en mi boca, sus anillos verdugos
reprimieron y malaventuraron la nudosa sangre de mi corazón.
Vengo muy dolorido de aquel infierno de incensarios locos,
de aquella boba gloria: sonreídme.
Sonreídme, que voy
adonde estáis vosotros los de siempre,
los que cubrís de espigas y racimos la boca del que nos escupe,
los que conmigo en surcos, andamios, fraguas, hornos,
os arrancáis la corona del sudor a diario.

Me libré de los templos: sonreídme,
donde me consumía con tristeza de lámpara
encerrado en el poco aire de los sagrarios.
Salté al monte de donde procedo,
a las viñas donde halla tanta hermana mi sangre,
a vuestra compañía de relativo barro.
Agrupo mi hambre, mis penas y estas cicatrices
que llevo de tratar piedras y hachas,

---

[43] Debió ser escrito a principios de 1935, tras el chispazo de la revolución de los mineros de Asturias, que puso a los intelectuales españoles en pie de guerra. Miguel, que está en contacto con círculos manifiestamente revolucionarios como Pablo Neruda, Rafael Alberti y Raul González Tuñón, canta su liberación del viejo ambiente católico y conservador en que hasta entonces había desarrollado sus talentos poéticos guiado por Ramón Sijé.

a vuestras hambres, vuestras penas y vuestra herrada carne,
porque para calmar nuestra desesperación de toros castigados
habremos de agruparnos oceánicamente.
Nubes tempestuosas de herramientas
para un cielo de manos vengativas
nos es preciso. Ya relampaguean
las hachas y las hoces con su metal crispado,
ya truenan los martillos y los mazos
sobre los pensamientos de los que nos han hecho
burros de carga y bueyes de labor.
Salta el capitalista de su cochino lujo,
huyen los arzobispos de sus mitras obscenas,
los notarios y los registradores de la propiedad
caen aplastados bajo furiosos protocolos,
los curas se deciden a ser hombres,
y abierta ya la jaula donde actúa de león
queda el oro en la más espantosa miseria.

En vuestros puños quiero ver rayos contrayéndose,
quiero ver a la cólera tirándoos de las cejas,
la cólera me nubla todas las cosas dentro del corazón
sintiendo el martillazo del hambre en el ombligo,
viendo a mi hermana helarse mientras lava la ropa,
viendo a mi madre siempre en ayuno forzoso,
viéndoos en este estado capaz de impacientar
a los mismos corderos que jamás se impacientan.

Habrá que ver la tierra estercolada
con las injustas sangres,
habrá que ver la media vuelta fiera de la hoz
[ajustándose a las nucas,
habrá que verlo todo noblemente impasibles,
habrá que hacerlo todo sufriendo un poco menos de lo que
[ahora sufrimos bajo el hambre,
que nos hace alargar las inocentes manos animales
hacia el robo y el crimen salvadores.

## *Viento del pueblo*
## *(1936-1937)*

## ELEGÍA PRIMERA

*(A Federico García Lorca, poeta)*

ATRAVIESA la muerte con herrumbrosas lanzas,
y en traje de cañón, las parameras
donde cultiva el hombre raíces y esperanzas,
y llueve sal, y esparce calaveras.

Verdura de las eras,
¿qué tiempo prevalece la alegría?
El sol pudre la sangre, la cubre de asechanzas
y hace brotar la sombra más sombría.

El dolor y su manto
vienen una vez más a nuestro encuentro.
Y una vez más al callejón del llanto
lluviosamente entro.

Siempre me veo dentro
de esta sombra de acíbar revocada
amasado con ojos y bordones,
que un candil de agonía tiene puesto a la entrada
y un rabioso collar de corazones.

Llorar dentro de un pozo,
en la misma raíz desconsolada
del agua, del sollozo,
del corazón quisiera:
donde nadie me viera la voz ni la mirada,
ni restos de mis lágrimas me viera.

Entro despacio, se me cae la frente
despacio, el corazón se me desgarra
despacio, y despaciosa y negramente
vuelvo a llorar al pie de una guitarra.

Entre todos los muertos de elegía,
sin olvidar el eco de ninguno,
por haber resonado más en el alma mía,
la mano de mi llanto escoge uno.

Federico García
hasta ayer se llamó: polvo se llama.
Ayer tuvo un espacio bajo el día
que hoy el hoyo le da bajo la grama.

¡Tanto fue! ¡Tanto fuiste y ya no eres!
Tu agitada alegría,
que agitaba columnas y alfileres,
de tus dientes arrancas y sacudes,
y ya te pones triste, y sólo quieres
ya el paraíso de los ataúdes.

Vestido de esqueleto,
durmiéndote de plomo,
de indiferencia armado y de respeto,
te veo entre tus cejas si me asomo.

Se ha llevado tu vida de palomo,
que ceñía de espuma
y de arrullos el cielo y las ventanas
como un raudal de pluma
el viento que se lleva las semanas.

Primo de las manzanas,
no podrá con tu savia la carcoma,
no podrá con tu muerte la lengua del gusano,
y para dar salud fiera a su poma
elegirá tus huesos el manzano.

Cegado el manantial de tu saliva,
hijo de la paloma,
nieto del ruiseñor y de la oliva:
serás, mientras la tierra vaya y vuelva,
esposo siempre de la siempreviva,
estiércol padre de la madreselva.

¡Qué sencilla es la muerte: qué sencilla,
pero qué injustamente arrebatada!
No sabe andar despacio, y acuchilla
cuando menos se espera su turbia cuchillada.

Tú, el más firme edificio, destruido,
tú, el gavilán más alto, desplomado,
tú, el más grande rugido,
callado, y más callado, y más callado.

Caiga tu alegre sangre de granado,
como un derrumbamiento de martillos feroces,
sobre quien te detuvo mortalmente.
Salivazos y hoces
caigan sobre la mancha de su frente.

Muere un poeta y la creación se siente
herida y moribunda en las entrañas.
Un cósmico temblor de escalofríos
mueve temiblemente las montañas,
un resplandor de muerte la matriz de los ríos.

Oigo pueblos de ayes y valles de lamentos,
veo un bosque de ojos nunca enjutos,
avenidas de lágrimas y mantos:
y en torbellino de hojas y de vientos,
lutos tras otros lutos y otros lutos,
llantos tras otros llantos y otros llantos.

No aventarán, no arrastrarán tus huesos,
volcán de arrope, trueno de panales,
poeta entretejido, dulce, amargo,

que el calor de los besos
sentiste, entre dos largas hileras de puñales,
largo amor, muerte larga, fuego largo.

Por hacer a tu muerte compañía,
vienen poblando todos los rincones
del cielo y de la tierra bandadas de armonía,
relámpagos de azules vibraciones.
Crótalos granizados a montones,
batallones de flautas, panderos y gitanos,
ráfagas de abejorros y violines,
tormentas de guitarras y pianos,
irrupciones de trompas y clarines.

Pero el silencio puede más que tanto instrumento.

Silencioso, desierto, polvoriento
en la muerte desierta,
parece que tu lengua, que tu aliento,
los ha cerrado el golpe de una puerta.

Como si paseara con tu sombra,
paseo con la mía
por una tierra que el silencio alfombra,
que el ciprés apetece más sombría.

Rodea mi garganta tu agonía
como un hierro de horca
y pruebo una bebida funeraria.
Tú sabes, Federico García Lorca,
que soy de los que gozan una muerte diaria.

## VIENTOS DEL PUEBLO ME LLEVAN[44]

VIENTOS del pueblo me llevan,
vientos del pueblo me arrastran,
me esparcen el corazón
y me aventan la garganta.

---

[44] Publicado por primera vez en *El Mono Azul,* núm. 9, 22 octubre 1936. Es una fervorosa invitación a la lucha y a una respuesta digna y valiente a los que quieren «echar un yugo sobre el cuello de esta raza». Este romance, visto en su versión definitiva, es de los más vigorosos y entusiastas de todo el libro. Sin embargo, si examinamos su proceso de composición, podemos percibir los desalientos que a veces angustiaban al poeta por aquellas fechas críticas. Marie Chevallier, que descubrió valiosas variantes a este romance en un manuscrito a lápiz, nota cómo «el poeta parece exorcizar fantasmas interiores» y se siente por momentos abandonado «a la tentación de dejar operar la muerte» precisamente en «Vientos del pueblo me llevan», «uno de los poemas de llamada al combate entre los más divulgados y considerado como unívoco y ejemplar» (M. Chevallier, *L'homme ses oeuvres et son destin...* págs. 464-465). Visto en versiones precedentes a la definitiva, el romance se convierte en revelación sorprendente de las dudas y angustias humanas del poeta. Antes del v. 25 de la presente versión aparece un pasaje enturbiado por el desaliento:

a veces me dan anhelos
de dormirme sobre el agua
y de despertar jamás
y no saber más de mí
mañana por la mañana.

¡Qué hondura más honda veo!
(y qué rama de desgracia?)
España... abismo?)
España jamás te salvas (PC 809)

Los bueyes doblan la frente,
impotentemente mansa,
delante de los castigos:
los leones la levantan
y al mismo tiempo castigan
con su clamorosa zarpa.

No soy de un pueblo de bueyes,
que soy de un pueblo que embargan
yacimientos de leones,
desfiladeros de águilas
y cordilleras de toros
con el orgullo en el asta.
Nunca medraron los bueyes
en los páramos de España.

¿Quién habló de echar un yugo
sobre el cuello de esta raza?
¿Quién ha puesto al huracán
jamás ni yugos ni trabas,
ni quién al rayo detuvo
prisionero en una jaula?

Asturianos de braveza,
vascos de piedra blindada,
valencianos de alegría
y castellanos de alma,
labrados como la tierra
y airosos como las alas;
andaluces de relámpago,
nacidos entre guitarras
y forjados en los yunques
torrenciales de las lágrimas;
extremeños de centeno,
gallegos de lluvia y calma,
catalanes de firmeza,
aragoneses de casta,
murcianos de dinamita
frutalmente propagada,

leoneses, navarros, dueños
del hambre, el sudor y el hacha,
reyes de la minería,
señores de la labranza,
hombres que entre las raíces,
como raíces gallardas,
vais de la vida a la muerte,
vais de la nada a la nada:
yugos os quieren poner
gentes de la hierba mala,
yugos que habéis de dejar
rotos sobre sus espaldas.

Crepúsculo de los bueyes
está despuntando el alba.

Los bueyes mueren vestidos
de humildad y olor de cuadra;
las águilas, los leones
y los toros de arrogancia,
y detrás de ellos, el cielo
ni se enturbia ni se acaba.
La agonía de los bueyes
tiene pequeña la cara,
la del animal varón
toda la creación agranda.

Si me muero, que me muera
con la cabeza muy alta.
Muerto y veinte veces muerto,
la boca contra la grama,
tendré apretados los dientes
y decidida la barba.

Cantando espero a la muerte,
que hay ruiseñores que cantan
encima de los fusiles
y en medio de las batallas.

## EL NIÑO YUNTERO[45]

CARNE DE YUGO, ha nacido
más humillado que bello,
con el cuello perseguido
por el yugo para el cuello.

Nace, como la herramienta,
a los golpes destinado,
de una tierra descontenta
y un insatisfecho arado.

Entre estiércol puro y vivo
de vacas, trae a la vida
un alma color de olivo
vieja ya y encallecida.

Empieza a vivir, y empieza
a morir de punta a punta
levantando la corteza
de su madre con la yunta.

Empieza a sentir, y siente
la vida como una guerra
y a dar fatigosamente
en los huesos de la tierra.

---

[45] Fue publicado por primera vez en *Ayuda,* núm. 44, 27 febrero 1937. El poeta está todavía en la meseta y observa la tragedia humana de la guerra en sus víctimas más indefensas, estos niños yunteros, para deducir de ella una lección revolucionaria (estrofa penúltima).

Contar sus años no sabe,
y ya sabe que el sudor
es una corona grave
de sal para el labrador.

Trabaja, y mientras trabaja
masculinamente serio,
se unge de lluvia y se alhaja
de carne de cementerio.

A fuerza de golpes, fuerte,
y a fuerza de sol, bruñido,
con una ambición de muerte
despedaza un pan reñido.

Cada nuevo día es
más raíz, menos criatura,
que escucha bajo sus pies
la voz de la sepultura.

Y como raíz se hunde
en la tierra lentamente
para que la tierra inunde
de paz y panes su frente.

Me duele este niño hambriento
como una grandiosa espina,
y su vivir ceniciento
resuelve mi alma de encina.

Lo veo arar los rastrojos,
y devorar un mendrugo,
y declarar con los ojos
que por qué es carne de yugo.

Me da su arado en el pecho,
y su vida en la garganta,
y sufro viendo el barbecho
tan grande bajo su planta.

¿Quién salvará a este chiquillo
menor que un grano de avena?
¿De dónde saldrá el martillo
verdugo de esta cadena?

Que salga del corazón
de los hombres jornaleros,
que antes de ser hombres son
y han sido niños yunteros.

## ROSARIO, DINAMITERA[46]

ROSARIO DINAMITERA,
sobre tu mano bonita
celaba la dinamita
sus atributos de fiera.
Nadie al mirarla creyera
que había en su corazón
una desesperación
de cristales, de metralla
ansiosa de una batalla,
sedienta de una explosión.

Era tu mano derecha,
capaz de fundir leones,
la flor de las municiones
y el anhelo de la mecha.
Rosario, buena cosecha,
alta como un campanario,
sembrabas al adversario
de dinamita furiosa

[46] Este poema fue publicado por primera vez en *A l'assaut* (Journal de la XII Brigade Internationale, Madrid), núm. 4, 25 febrero 1937. Se basa en hechos reales que el poeta había narrado en *Ayuda,* núm. 39, 23 enero 1937, donde describe así a la heroína de su romance: «de dieciocho años»... «morena de ojos negros»... «Rosario tiene un temperamento fogoso que ha desahogado en el Guadarrama haciendo bombas y arrojándolas al enemigo. La avergüenza que muchas mujeres vayan a presumir y a mujerear a las trincheras. La dinamita le ha comido la mano derecha, y ella dice que aún le queda la izquierda para seguir haciendo bombas»... (PPG 110).

y era tu mano una rosa
enfurecida, Rosario.

Buitrago ha sido testigo
de la condición de rayo
de las hazañas que callo
y de la mano que digo.
¡Bien conoció el enemigo
la mano de esta doncella,
que hoy no es mano porque de ella,
que ni un solo dedo agita,
se prendó la dinamita
y la convirtió en estrella!

Rosario, dinamitera,
puedes ser varón y eres
la nata de las mujeres
la espuma de la trinchera.
Digna como una bandera
de triunfos y resplandores,
dinamiteros pastores,
vedla agitando su aliento
y dad las bombas al viento
del alma de los traidores.

## ACEITUNEROS[47]

ANDALUCES DE JAÉN,
aceituneros altivos,
decidme en el alma: ¿quién,
quién levantó los olivos?

No los levantó la nada,
ni el dinero, ni el señor,
sino la tierra callada,
el trabajo y el sudor.

Unidos al agua pura
y a los planetas unidos,
los tres dieron la hermosura
de los troncos retorcidos.

*Levántate, olivo cano,*
dijeron al pie del viento.
Y el olivo alzó una mano
poderosa de cimiento.

Andaluces de Jaén,
aceituneros altivos,
decidme en el alma: ¿quién
amamantó los olivos?

---

[47] Publicado por primera vez en *Frente Sur* (periódico de Altavoz del Frente Sur, Jaén), núm. 1, 27 marzo 1937. La vista de los campos andaluces, como antes de los castellanos, le sugiere un canto revolucionario y una llamada a la acción: «Jaén, levántate brava.»

Vuestra sangre, vuestra vida,
no la del explotador
que se enriqueció en la herida
generosa del sudor.

No la del terrateniente
que os sepultó en la pobreza,
que os pisoteó la frente,
que os redujo la cabeza.

Árboles que vuestro afán
consagró al centro del día
eran principio de un pan
que sólo el otro comía.

¡Cuántos siglos de aceituna,
los pies y las manos presos,
sol a sol y luna a luna,
pesan sobre vuestros huesos!

Andaluces de Jaén,
aceituneros altivos,
pregunta mi alma: ¿de quién,
de quién son estos olivos?

Jaén, levántate brava
sobre tus piedras lunares,
no vayas a ser esclava
con todos tus olivares.

Dentro de la claridad
del aceite y sus aromas,
indican tu libertad
la libertad de tus lomas.

## LAS MANOS[48]

DOS ESPECIES de manos se enfrentan en la vida,
brotan del corazón, irrumpen por los brazos,
saltan, y desembocan sobre la luz herida
a golpes, a zarpazos.

La mano es la herramienta del alma, su mensaje,
y el cuerpo tiene en ella su rama combatiente.
Alzad, moved las manos en un gran oleaje,
hombres de mi simiente.

Ante la aurora veo surgir las manos puras
de los trabajadores terrestres y marinos,
como una primavera de alegres dentaduras,
de dedos matutinos.

Endurecidamente pobladas de sudores,
retumbantes las venas desde las uñas rotas,
constelan los espacios de andamios y clamores,
relámpagos y gotas.

[48] Una copia mecanografiada, de que habla A. Sánchez Vidal, aparece fechada en «Madrid, 15 de febrero de 1937». La primera publicación ocurrió en *Ayuda*, núm. 47, 20 marzo 1937. Jorge Luzuriaga en un encuentro fortuito con el poeta durante el último año de la guerra cuenta que éste le confesó que «Las manos» y «El sudor», comparados con poemas como «Jornaleros», estaban más cerca de lo que él quería expresar (M. de G. Ifach, *Miguel Hernández*, pág. 55).

Conducen herrerías, azadas y telares,
muerden metales, montes, raptan hachas, encinas,
y construyen, si quieren, hasta en los mismos mares
fábricas, pueblos, minas.

Estas sonoras manos oscuras y lucientes
las reviste una piel de invencible corteza,
y son inagotables y generosas fuentes
de vida y de riqueza.

Como si con los astros el polvo peleara,
como si los planetas lucharan con gusanos,
la especie de las manos trabajadora y clara
lucha con otras manos.

Feroces y reunidas en un bando sangriento
avanzan al hundirse los cielos vespertinos
unas manos de hueso lívido y avariento,
paisaje de asesinos.

No han sonado: no cantan. Sus dedos vagan roncos,
mudamente aletean, se ciernen, se propagan.
Ni tejieron la pana, ni mecieron los troncos,
y blandas de ocio vagan.

Empuñan crucifijos y acaparan tesoros
que a nadie corresponden sino a quien los labora,
y sus mudos crepúsculos absorben los sonoros
caudales de la aurora.

Orgullo de puñales, arma de bombardeos
con un cáliz, un crimen y un muerto en cada una:
ejecutoras pálidas de los negros deseos
que la avaricia empuña.

¿Quién lavará estas manos fangosas que se extienden
al agua y la deshonran, enrojecen y estragan?
Nadie lavará manos que en el puñal se encienden
y en el amor se apagan.

Las laboriosas manos de los trabajadores
caerán sobre vosotras con dientes y cuchillas.
Y las verán cortadas tantos explotadores
en sus mismas rodillas.

## EL SUDOR[49]

EN EL MAR halla el agua su paraíso ansiado
y el sudor su horizonte, su fragor, su plumaje.
El sudor es un árbol desbordante y salado,
un voraz oleaje.

Llega desde la edad del mundo más remota
a ofrecer a la tierra su copa sacudida,
a sustentar la sed y la sal gota a gota,
a iluminar la vida.

Hijo del movimiento, primo del sol, hermano
de la lágrima, deja rodando por las eras,
del abril al octubre, del invierno al verano,
áureas enredaderas.

Cuando los campesinos van por la madrugada
a favor de la esteva removiendo el reposo,
se visten una blusa silenciosa y dorada
de sudor silencioso.

Vestidura de oro de los trabajadores,
adorno de las manos como de las pupilas.
Por la atmósfera esparce sus fecundos olores
una lluvia de axilas.

---

[49] Una copia mecanografiada, a que se refiere Sánchez Vidal, está datada en «Madrid, 24 de febrero de 1937».

El sabor de la tierra se enriquece y madura:
caen los copos del llanto laborioso y oliente,
maná de los varones y de la agricultura,
bebida de mi frente.

Los que no habéis sudado jamás, los que andáis yertos
en el ocio sin brazos, sin música, sin poros,
no usaréis la corona de los poros abiertos
ni el poder de los toros.

Viviréis maloliendo, moriréis apagados:
la encendida hermosura reside en los talones
de los cuerpos que mueven sus miembros trabajados
como constelaciones.

Entregad al trabajo, compañeros, las frentes:
que el sudor, con su espada de sabrosos cristales,
con sus lentos diluvios, os hará transparentes,
venturosos, iguales.

## JURAMENTO DE LA ALEGRÍA[50]

SOBRE la roja España blanca y roja,
blanca y fosforescente,
una historia de polvo se deshoja,
irrumpe un sol unánime, batiente.

Es un pleno de abriles,
una primaveral caballería,
que inunda de galopes los perfiles
de España: es el ejército del sol, de la alegría.

Desaparece la tristeza, el día
devorador, el marchitado tallo,
cuando, avasalladora llamarada,
galopa la alegría en un caballo
igual que una bandera desbocada.

A su paso se paran los relojes,
las abejas, los niños se alborotan,
los vientres son más fértiles, más profusas las trojes,
saltan las piedras, los lagartos trotan.

---

[50] Este poema apareció casi al mismo tiempo que *Viento del pueblo*, en septiembre de 1937, en *Hora de España*. Sorprende por su tono optimista, entusiasta y combativo, y por su potente ritmo de grandes efectos, que trata de arrastrar al lector u oyente en el torrente de optimismo que invade la naturaleza. La sonoridad y el ritmo arrebatado de ciertos grupos de versos como el 6.º y siguientes son de una gran eficacia.

Se hacen las carreteras de diamantes,
el horizonte lo perturban mieses
y otras visiones relampagueantes,
y se sienten felices los cipreses.

Avanza la alegría derrumbando montañas
y las bocas avanzan como escudos.
Se levanta la risa, se caen las telarañas
ante el chorro potente de los dientes desnudos.

La alegría es un huerto del corazón con mares
que a los hombres invaden de rugidos,
que a las mujeres muerden de collares
y a la piel de relámpagos transidos.

Alegraos por fin los carcomidos,
los desplomados bajo la tristeza:
salid de los vivientes ataúdes,
sacad de entre las piernas la cabeza,
caed en la alegría como grandes taludes.

Alegres animales,
la cabra, el gamo, el potro, las yeguadas,
se desposan delante de los hombres contentos.
Y paren las mujeres lanzando carcajadas,
desplegando su carne firmamentos.

Todo son jubilosos juramentos.
Cigarras, viñas, gallos incendiados,
los árboles del Sur: naranjos y nopales,
higueras y palmeras y granados,
y encima el mediodía curtiendo cereales.

Se despedaza el agua en los zarzales:
las lágrimas no arrasan,
no duelen las espinas ni las flechas.
Y se grita ¡Salud! a todos los que pasan
con la boca anegada de cosechas.

Tiene el mundo otra cara. Se acerca lo remoto
en una muchedumbre de bocas y de brazos.
Se ve la muerte como un mueble roto,
como una blanca silla hecha pedazos.

Salí del llanto, me encontré en España,
en una plaza de hombres de fuego imperativo.
Supe que la tristeza corrompe, enturbia, daña...
Me alegré seriamente lo mismo que el olivo.

## CANCIÓN DEL ESPOSO SOLDADO[51]

HE POBLADO tu vientre de amor y sementera,
he prolongado el eco de sangre a que respondo
y espero sobre el surco como el arado espera:
he llegado hasta el fondo.

Morena de altas torres, alta luz y altos ojos,
esposa de mi piel, gran trago de mi vida,
tus pechos locos crecen hacia mí dando saltos
de cierva concebida.

Ya me parece que eres un cristal delicado,
temo que te me rompas al más leve tropiezo,

---

[51] Apareció por primera vez en *El Mono Azul,* núm. 19, 10 junio 1937, aunque fue compuesta al menos un mes antes, ya que, según M. de G. Ifach, se la envió a su esposa en carta del 11 de mayo de 1937, donde le dice: «He hecho, como recordarás que te prometí, esa poesía que será la que vaya al fin del libro *[Viento del pueblo],* para ti y para nuestro hijo» («Cartas a Josefina», *Puerto,* Universidad de Puerto Rico, abril-junio 1968, pág. 63). En cuanto al sentido de esta «canción» podemos constatar cómo en ella encuentran solución una serie de contradicciones y tensiones que venían actuando en su poesía anterior: influencias del Siglo de Oro y modernas, sijeísmo y nerudismo, conservadurismo y simpatías revolucionarias, individualismo burgués y colectivismo popular. Esta canción supera definitivamente —como dice Sánchez Vidal— una serie de agobiantes conflictos: «Aquí todo está integrado armónicamente; el poeta canta su amor y el de todo soldado que, en las trincheras, estuviese alejado de su esposa; no se trata de solitario, introspectivo y meditabundo petrarquismo, sino de un erotismo liberado que ha encontrado su meta: la maternidad como preparación de la vida, y la lucha que se mantiene para que ese hijo nazca en libertad. El plano colectivo, el de la pareja y el individual están integrados ya en una cosmovisión coherente (PC XCIV).

y a reforzar tus venas con mi piel de soldado
fuera como el cerezo.

Espejo de mi carne, sustento de mis alas,
te doy vida en la muerte que me dan y no tomo.
Mujer, mujer, te quiero cercado por las balas,
ansiado por el plomo.

Sobre los ataúdes feroces en acecho,
sobre los mismos muertos sin remedio y sin fosa
te quiero, y te quisiera besar con todo el pecho
hasta en el polvo, esposa.

Cuando junto a los campos de combate te piensa
mi frente que no enfría ni aplaca tu figura,
te acercas hacia mí como una boda inmensa
de hambrienta dentadura.

Escríbeme a la lucha, siénteme en la trinchera:
aquí con el fusil tu nombre evoco y fijo,
y defiendo tu vientre de pobre que me espera,
y defiendo tu hijo.

Nacerá nuestro hijo con el puño cerrado
envuelto en un clamor de victoria y guitarras,
y dejaré a tu puerta mi vida de soldado
sin colmillos ni garras.

Es preciso matar para seguir viviendo.
Un día iré a la sombra de tu pelo lejano,
y dormiré en la sábana de almidón y de estruendo
cosida por tu mano.

Tus piernas implacables al parto van derechas,
y tu implacable boca de labios indomables,
y ante mi soledad de explosiones y brechas
recorres un camino de besos implacables.

Para el hijo será la paz que estoy forjando.
Y al fin en un océano de irremediables huesos
tu corazón y el mío naufragarán, quedando
una mujer y un hombre gastados por los besos.

# *El hombre acecha*
# *(1938-1939)*

## CANCIÓN PRIMERA[52]

SE HA RETIRADO el campo
al ver abalanzarse
crispadamente al hombre.

¡Qué abismo entre el olivo
y el hombre se descubre!

El animal que canta:
el animal que puede
llorar y echar raíces,
rememoró sus garras.

Garras que revestía
de suavidad y flores,
pero que, al fin, desnuda
en toda su crueldad.

Crepitan en mis manos.
Aparta de ellas, hijo[53].

---

[52] Esta versión definitiva del poema, en que el autor ha ido intensificando la expresión como se puede ver cotejando las variantes del texto, nos da el título del libro (verso último) y su amarga tónica. La guerra despierta los más feroces instintos en el hombre, que rememora su original ferocidad. Abandonando la exaltación épica y el tono combativo —aún presente en algún poema como «Llamo al toro de España» —el libro adopta una tonalidad más lírica y refleja una visión del mundo llena de amargo dramatismo.

[53] Conservo «Aparta» en vez de «Aparte», que extrañamente y sin justificación propone A. Sánchez Vidal (PC 552), como más en consonancia con toda la canción y con el v. 20.

Estoy dispuesto a hundirlas,
dispuesto a proyectarlas
sobre tu carne leve.

He regresado al tigre.
Aparta, o te destrozo.

Hoy el amor es muerte,
y el hombre acecha al hombre.

## LLAMO AL TORO DE ESPAÑA

ALZA, toro de España: levántate, despierta.
Despiértate de todo, toro de negra espuma,
que respiras la luz y rezumas la sombra,
y concentras los mares bajo tu piel cerrada.

Despiértate.

Despiértate del todo, que te veo dormido,
un pedazo del pecho y otro de la cabeza:
que aún no te has despertado como despierta un toro
cuando se le acomete con traiciones lobunas.

Levántate.

Resopla tu poder, despliega tu esqueleto,
enarbola tu frente con las rotundas hachas,
con las dos herramientas de asustar a los astros,
de amenazar al cielo con astas de tragedia.

Esgrímete.

Toro en la primavera más toro que otras veces,
en España más toro, toro, que en otras partes.
Más cálido que nunca, más volcánico, toro,
que irradias, que iluminas al fuego, yérguete.

Desencadénate.

Desencadena el raudo corazón que te orienta
por las plazas de España, sobre su astral arena.
A desollarte vivo vienen lobos y águilas
que han envidiado siempre tu hermosura de pueblo.

Yérguete.

No te van a castrar: no dejarás que llegue
hasta tus atributos de varón abundante
esa mano felina que pretende arrancártelos
de cuajo, impunemente: pataléalos, toro[54].

Víbrate.

No te van a absorber la sangre de riqueza,
no te arrebatarán los ojos minerales.
La piel donde recoge resplandor el lucero
no arrancarán del toro de torrencial mercurio.

Revuélvete.

Es como si quisieran quitar la piel al sol,
al torrente la espuma con uña y picotazo.
No te van a castrar, poder tan masculino
que fecundas la piedra; no te van a castrar.

Truénate.

No retrocede el toro: no da un paso hacia atrás
si no es para escabar sangre y furia en la arena,
unir todas sus fuerzas, y desde las pezuñas
abalanzarse luego con decisión de rayo.

---

[54] La lectura «pataléalos» encaja mejor con el poema y con el vocativo «toro». En ello disiento del «patalearlos» que propone A. Sánchez Vidal (PC 555) guardando un excesivo respeto a la edición príncipe, cuando en realidad debe tratarse de una simple errata como creen L. de Luis y J. Urrutia (HA 118).

Abalánzate.

Gran toro que en el bronce y en la piedra has mamado,
y en el granito fiero paciste la fiereza:
revuélvete en el alma de todos los que han visto
la luz primera en esta península ultrajada.

Revuélvete.

Partido en dos pedazos, este toro de siglos,
este toro que dentro de nosotros habita:
partido en dos mitades, con una mataría
y con la otra mitad moriría luchando.

Atorbellínate.

De la airada cabeza que fortalece el mundo,
del cuello como un bloque de titanes en marcha,
brotará la victoria como un ancho bramido
que hará sangrar al mármol y sonar a la arena.

Sálvate.

Despierta, toro: esgrime, desencadena, víbrate.
Levanta, toro: truena, toro, abalánzate.
Atorbellínate, toro: revuélvete.
Sálvate, denso toro de emoción y de España.

Sálvate.

## RUSIA[55]

En trenes poseídos de una pasión errante
por el carbón y el hierro que los provoca y mueve,
y en tensos aeroplanos de plumaje tajante
recorro la nación del trabajo y la nieve.

De la extensión de Rusia, de sus tiernas ventanas,
sale una voz profunda de máquinas y manos,
que indica entre mujeres: *Aquí están tus hermanas,*
y prorrumpe entre hombres: *Estos son tus hermanos.*

---

[55] Este poema fue escrito «recorriendo las Repúblicas Soviéticas» durante el viaje que con otros cuatro artistas hizo el poeta para asistir al Festival Soviético de Teatro. La Delegación Española permaneció en Rusia del 2 de septiembre al 5 de octubre de 1937. Las circunstancias y el espíritu que impregna los versos de este poema se pueden percibir en «La U.R.S.S. y España, fuerzas hermanas», artículo publicado en *Nuestra Bandera,* núm. 108, 10 nov. 1937 y recogido en PPG 170. El entusiasta cántico a Rusia resulta más comprensible conociendo este artículo en que el poeta recuerda la indiferencia egoísta de las democracias europeas, durante el conflicto español, frente a la ayuda y cordialidad halladas en la Unión Soviética: «En mi viaje a través de las naciones que hube de transitar para llegar a la patria espiritual de los trabajadores del mundo entero no pude rectificar un gesto hostil, que me salió en la boca y en la frente al enfrentarme con una humanidad automática, mecanizada, sorda por indiferencia egoista al clamor de los pueblos atropellados; manca para darles ayuda por inhumanidad perezosa, por temor a tender los brazos y retirarlos manchados de sangre. Al pisar tierras de la U.R.S.S. volví a sentir sobre mi rostro el viento humano respirado por los hombres... En los trenes, en las calles, en los caminos, donde menos se esperaba, el pueblo soviético venía hacia nosotros con los brazos tendidos de sus niños, sus mujeres, sus trabajadores» (PPG 170-172). M. Hernández recuerda también las expediciones de niños que, para protegerlos de los horrores de la guerra, fueron acogidos en Rusia (estr. 14-16).

Basta mirar: se cubre de verdad la mirada.
Basta escuchar: retumba la sangre en las orejas.
De cada aliento sale la ardiente bocanada
de tantos corazones unidos por parejas.

Ah, compañero Stalin: de un pueblo de mendigos
has hecho un pueblo de hombres que sacuden la frente,
y la cárcel ahuyentan, y prodigan los trigos,
como a un esfuerzo inmenso le cabe: inmensamente.

De unos hombres que apenas a vivir se atrevían
con la boca amarrada y el sueño esclavizado:
de unos cuerpos que andaban, vacilaban, crujían,
una masa de férreo volumen has forjado.

Has forjado una especie de mineral sencillo,
que observa la conducta del metal más valioso,
perfecciona el motor, y señala el martillo,
la hélice, la salud, con un dedo orgulloso.

Polvo para los zares, los reales bandidos:
Rusia nevada de hambre, dolor y cautiverios.
Ayer sus hijos iban a la muerte vencidos,
hoy proclaman la vida y hunden los cementerios.

Ayer iban sus ríos derritiendo los hielos,
quemados por la sangre de los trabajadores.
Hoy descubren industrias, maquinarias, anhelos,
y cantan rodeados de fábricas y flores.

Y los ancianos lentos que llevan una huella
de zar sobre sus hombros, interrumpen el paso,
por desplumar alegres su alta barba de estrella
ante el joven fulgor que remoza su ocaso.

Las chozas se convierten en casas de granito.
El corazón se queda desnudo entre verdades.
Y como una visión real de lo inaudito,
brotan sobre la nada bandadas de ciudades.

La juventud de Rusia se esgrime y se agiganta
como un arma afilada por los rinocerontes.
La metalurgia suena dichosa de garganta,
y vibran los martillos de pie sobre los montes.

Con las inagotables vacas de oro yacente
que ordeñan los mineros de los montes Urales,
Rusia edifica un mundo feliz y transparente
para los hombres llenos de impulsos fraternales.

Hoy que contra mi patria clavan sus bayonetas
legiones malparidas por una torpe entraña,
los girasoles rusos, como ciegos planetas,
hacen girar su rostro de rayos hacia España.

Aquí está Rusia entera vestida de soldado,
protegiendo los niños que anhela la trilita
de Italia y de Alemania bajo el sueño sagrado,
y que del vientre mismo de la madre los quita.

Dormitorios de niños españoles: zarpazos
de inocencia que arrojan de Madrid, de Valencia,
a Mussolini, a Hitler, los dos mariconazos,
la vida que destruyen manchados de inocencia.

Frágiles dormitorios al sol de la luz clara,
sangrienta de repente y erizada de astillas.
¡Si tanto dormitorio deshecho se arrojara
sobre las dos cabezas y las cuatro mejillas!

*Se arrojará,* me advierte desde su tumba viva
Lenin, con pie de mármol y voz de bronce quieto,
mientras contempla inmóvil el agua constructiva
que fluye en forma humana detrás de su esqueleto.

Rusia y España, unidas como fuerzas hermanas,
fuerza serán que cierre las fauces de la guerra.
Y sólo se verán tractores y manzanas,
panes y juventud sobre la tierra.

## EL HERIDO

*Para el muro de un hospital de sangre.*

I

POR LOS CAMPOS luchados se extienden los heridos.
Y de aquella extensión de cuerpos luchadores
salta un trigal de chorros calientes, extendidos
en roncos surtidores.

La sangre llueve siempre boca arriba, hacia el cielo.
Y las heridas suenan, igual que caracolas,
cuando hay en las heridas celeridad de vuelo,
esencia de las olas.

La sangre huele a mar, sabe a mar y a bodega.
La bodega del mar, del vino bravo, estalla
allí donde el herido palpitante se anega,
y florece, y se halla.

Herido estoy, miradme: necesito más vidas.
La que contengo es poca para el gran cometido
de sangre que quisiera perder por las heridas.
Decid quién no fue herido.

Mi vida es una herida de juventud dichosa.
¡Ay de quien no esté herido, de quien jamás se siente
herido por la vida, ni en la vida reposa
herido alegremente!

Si hasta los hospitales se va con alegría,
se convierten en huertos de heridas entreabiertas,
de adelfos florecidos ante la cirugía
de ensangrentadas puertas.

II

Para la libertad sangro, lucho, pervivo.
Para la libertad, mis ojos y mis manos,
como un árbol carnal, generoso y cautivo,
doy a los cirujanos.

Para la libertad siento más corazones
que arenas en mi pecho: dan espumas mis venas,
y entro en los hospitales, y entro en los algodones
como en las azucenas.

Para la libertad me desprendo a balazos
de los que han revolcado su estatua por el lodo.
Y me desprendo a golpes de mis pies, de mis brazos,
de mi casa, de todo.

Porque donde unas cuencas vacías amanezcan,
ella pondrá dos piedras de futura mirada
y hará que nuevos brazos y nuevas piernas crezcan
en la carne talada.

Retoñarán aladas de savia sin otoño
reliquias de mi cuerpo que pierdo en cada herida.
Porque soy como el árbol talado, que retoño:
porque aún tengo la vida.

## CARTA

EL PALOMAR de las cartas
abre su imposible vuelo
desde las trémulas mesas
donde se apoya el recuerdo,
la gravedad de la ausencia,
el corazón, el silencio.

Oigo un latido de cartas
navegando hacia su centro.

Donde voy, con las mujeres
y con los hombres me encuentro,
malheridos por la ausencia,
desgastados por el tiempo.

Cartas, relaciones, cartas:
tarjetas postales, sueños,
fragmentos de la ternura
proyectados en el cielo,
lanzados de sangre a sangre
y de deseo a deseo.

*Aunque bajo la tierra*
*mi amante cuerpo esté,*
*escríbeme a la tierra*
*que yo te escribiré.*

En un rincón enmudecen
cartas viejas, sobres viejos,
con el color de la edad
sobre la escritura puesto.
Allí perecen las cartas
llenas de estremecimientos.
Allí agoniza la tinta
y desfallecen los pliegos,
y el papel se agujerea
como un breve cementerio
de las pasiones de antes,
de los amores de luego.

*Aunque bajo la tierra*
*mi amante cuerpo esté,*
*escríbeme a la tierra*
*que yo te escribiré.*

Cuando te voy a escribir
se emocionan los tinteros:
los negros tinteros fríos
se ponen rojos y trémulos,
y un claro calor humano
sube desde el fondo negro.
Cuando te voy a escribir,
te van a escribir mis huesos:
te escribo con la imborrable
tinta de mi sentimiento.

Allá va mi carta cálida,
paloma forjada al fuego,
con las dos alas plegadas
y la dirección en medio.
Ave que sólo persigue,
para nido y aire y cielo,
carne, manos, ojos tuyos,
y el espacio de tu aliento.

Y te quedarás desnuda
dentro de tus sentimientos,
sin ropa, para sentirla
del todo contra tu pecho.

*Aunque bajo la tierra*
*mi amante cuerpo esté,*
*escríbeme a la tierra*
*que yo te escribiré.*

Ayer se quedó una carta
abandonada y sin dueño,
volando sobre los ojos
de alguien que perdió su cuerpo.
Cartas que se quedan vivas
hablando para los muertos:
papel anhelando, humano,
sin ojos, que puedan verlo.

Mientras los colmillos crecen,
cada vez más cerca siento
la leve voz de tu carta
igual que un clamor inmenso.
La recibiré dormido,
si no es posible despierto.
Y mis heridas serán
los derramados tinteros,
las bocas estremecidas
de rememorar tus besos,
y con su inaudita voz
han de repetir: *te quiero.*

## EL TREN DE LOS HERIDOS[56]

SILENCIO que naufraga en el silencio
de las bocas cerradas de la noche.
No cesa de callar ni atravesado.
Habla el lenguaje ahogado de los muertos.

Silencio.

Abre caminos de algodón profundo,
amordaza las ruedas, los relojes,
detén la voz del mar, de la paloma:
emociona la noche de los sueños.

Silencio.

El tren lluvioso de la sangre suelta,
el frágil tren de los que se desangran,
el silencioso, el doloroso, el pálido,
el tren callado de los sufrimientos.

Silencio.

---

[56] Este poema es uno de los más conmovedores del libro y muestra esa orientación del *El hombre acecha* a dejar de lado toda exaltación heroica para volverse más íntimo y lírico. Refleja un mundo lleno de dramatismo y de tragedia. Llega a momentos de gran intensidad emotiva cuando el tren de los heridos en una lograda y cálida personificación se humaniza y desarrolla entrañas de madre que suspira y solloza conmovida (estr. 6 y 7).

Tren de la palidez mortal que asciende:
la palidez reviste las cabezas,
el ¡ay! la voz, el corazón, la tierra,
el corazón de los que malhirieron.

Silencio.

Van derramando piernas, brazos, ojos,
van arrojando por el tren pedazos.
Pasan dejando rastro de amargura,
otra vía láctea de estelares miembros.

Silencio.

Ronco tren desmayado, enrojecido:
agoniza el carbón, suspira el humo,
y maternal la máquina suspira,
avanza como un largo desaliento.

Silencio.

Detenerse quisiera bajo un túnel
la larga madre, sollozar tendida.
No hay estaciones donde detenerse,
si no es el hospital, si no es el pecho.

Para vivir, con un pedazo basta:
en un rincón de carne cabe un hombre.
Un dedo solo, un solo trozo de ala
alza el vuelo total de todo un cuerpo.

Silencio.

Detened ese tren agonizante
que nunca acaba de cruzar la noche.

Y se queda descalzo hasta el caballo,
y enarena los cascos y el aliento.

## MADRE ESPAÑA[57]

ABRAZADO a tu cuerpo como el tronco a su tierra,
con todas las raíces y todos los corajes,
¿quién me separará, me arrancará de ti,
madre?

Abrazado a tu vientre, ¿quién me lo quitará,
si su fondo titánico da principio a mi carne?
abrazado a tu vientre, que es mi perpetua casa,
¡nadie!

Madre: abismo de siempre, tierra de siempre: entrañas
donde desembocando se unen todas las sangres:
donde todos los huesos caídos se levantan:
madre.

Decir madre es decir *tierra que me ha parido;*
es decir a los muertos: *hermanos, levantarse;*
es sentir en la boca y escuchar bajo el suelo
sangre.

---

[57] Publicado por primera vez en *Comisario,* revista de los comisarios de guerra, Madrid, núm 5, enero 1939. Al tema tan manido de la *madre patria* le presta el poeta una gran fuerza e ingenuidad al cantar a España como «cuerpo», «vientre», «entrañas», «tierra» materna, relacionándola con todo lo más elemental y auténtico de su cosmovisión. El sabor telúrico que impregna el poema revela ciertos ecos de la poesía de Vicente Aleixandre en libros como *Espadas como labios* (1932). Así lo notan L. de Luis y J. Urrutia (HA 158).

La otra madre es un puente, nada más, de tus ríos.
El otro pecho es una burbuja de tus mares.
Tú eres la madre entera con todo tu infinito,
madre.

Tierra: tierra en la boca, y en el alma, y en todo.
Tierra que voy comiendo, que al fin ha de tragarme.
Con más fuerza que antes, volverás a parirme,
madre.

Cuando sobre tu cuerpo sea una leve huella,
volverás a parirme con más fuerza que antes.
Cuando un hijo es un hijo, vive y muere gritando:
¡madre!

Hermanos: defendamos su vientre acometido,
hacia donde los grajos crecen de todas partes,
pues, para que las malas alas vuelen, aún quedan
aires.

Echad a las orillas de vuestro corazón
el sentimiento en límites, los efectos parciales.
Son pequeñas historias al lado de ella, siempre
grande.

Una fotografía y un pedazo de tierra,
una carta y un monte son a veces iguales.
Hoy eres tú la hierba que crece sobre todo,
madre.

Familia de esta tierra que nos funde en la luz,
los más oscuros muertos pugnan por levantarse,
fundirse con nosotros y salvar la primera
madre.

España, piedra estoica que se abrió en dos pedazos
de dolor y de piedra profunda para darme:
no me separarán de tus altas entrañas,
madre.

Además de morir por ti, pido una cosa:
que la mujer y el hijo que tengo, cuando pasen,
vayan hasta el rincón que habite de tu vientre,
madre.

## CANCIÓN ÚLTIMA

PINTADA, no vacía:
pintada está mi casa
del color de las grandes
pasiones y desgracias.

Regresará del llanto
adonde fue llevada
con su desierta mesa
con su ruidosa cama.

Florecerán los besos
sobre las almohadas.
Y en torno de los cuerpos
elevará la sábana
su intensa enredadera
nocturna, perfumada.

El odio se amortigua
detrás de la ventana.

Será la garra suave.

Dejadme la esperanza.

## *Cancionero*
## *y*
## *romancero de ausencias*
## *(1938-1941)*

EL MAR también elige
puertos donde reír
como los marineros.

El mar de los que son.

El mar también elige
puertos donde morir.
Como los marineros.

El mar de los que fueron.

LLEGÓ con tres heridas[58]:
la del amor,
la de la muerte,
la de la vida.

[58] La estructura paralelística impregna poderosamente todo el *Cancionero* dándole forma y resonancias populares a todo el libro como repetidas veces se ha notado. En este poema cada una de las tres estrofas paralelas recoge tres aspectos centrales de la cosmovisión hernandiana en un orden variado que, dando la impresión de aludir a realidades distintas, subraya su identidad esencial. Cada estrofa evoca en forma de tríptico su hondo sentir filosófico-poético y lo que para él significa la vida. El mismo poeta lo formula así en otro poemita:

Escribí en el arenal
los tres nombres de la vida:
vida, muerte, amor (PC 618)

Con tres heridas viene:
la de la vida,
la del amor,
la de la muerte.

Con tres heridas yo:
la de la vida,
la de la muerte,
la del amor.

QUERER, querer, querer,
ésa fue mi corona,
ésa es.

AUSENCIA en todo veo:
tus ojos la reflejan.

Ausencia en todo escucho:
tu voz a tiempo suena.

Ausencia en todo aspiro:
tu aliento huele a hierba.

Ausencia en todo toco:
tu cuerpo se despuebla.

Ausencia en todo siento.
Ausencia, ausencia, ausencia.

TODAS LAS CASAS son ojos[59]
que resplandecen y acechan.

---

[59] El poema está parcialmente impregnado de las amargas experiencias de la

Todas las casas son bocas
que escupen, muerden y besan.

Todas las casas son brazos
que se empujan y se estrechan.

De todas las casas salen
soplos de sombra y de selva.

En todas hay un clamor
de sangres insatisfechas.

Y a un grito todas las casas
se asaltan y se despueblan.

Y a un grito todas se aplacan,
y se fecundan, y esperan.

TANTO RÍO que va al mar
donde no hace falta el agua.
Tantos cuerpos que se secan.
Tantos cuerpos que se abrazan.

SI NOSOTROS viviéramos
lo que la rosa, con su intensidad,
el profundo perfume de los cuerpos
sería mucho más.

¡Ay, breve vida intensa
de un día de rosales secular,

guerra que habían inspirado *El hombre acecha.* Al anochecer ve las casas iluminadas como ojos y bocas que acechan y quieren morder. Esta visión queda atenuada por la también real y poderosa fuerza creadora del amor («besan», «brazos», «se fecundan»), tema muy caro al poeta.

pasaste por la casa
igual, igual, igual,
que un meteoro herido, perfumado
de hermosura y verdad.

La huella que has dejado es un abismo
con ruinas de rosal
donde un perfume que no cesa hace
que vayan nuestros cuerpos más allá.

EN EL FONDO del hombre,
agua removida.

En el agua más clara,
quiero ver la vida.

En el fondo del hombre,
agua removida.

En el agua más clara,
sombra sin salida.

En el fondo del hombre,
agua removida.

COGEDME, cogedme[60].
Dejadme, dejadme,
fieras, hombres, sombras,
soles, flores, mares.

---

60 La puntuación que ofrecemos restituida por A. Sánchez Vidal y confirmada por L. de Luis y J. Urrutia, presta al poema una mayor complejidad y ambigüedad psíquica. Parece que el poeta desea ser poseído por una cadena de entes

Cogedme.

Dejadme.

¿DE QUÉ adoleció
la mujer aquélla?
Del mal peor:
del mal de las ausencias.

Y el hombre aquél.

¿De qué murió
la mujer aquélla?
Del mal peor:
del mal de las ausencias.

Y el hombre aquél.

QUÉ CARA de herido pongo
cuándo te veo y me miro
por la ribera del hombro.

ENTERRADO me veo,
crucificado
en la cruz y en el hoyo

---

luminosos y abandonado por otros trágicos (notemos que con gran amargura sitúa al hombre entre éstos). Sin embargo, la estructura de la correlación y el cruce de las dos cadenas semánticas crea una situación paradójica y contradictoria que refleja la confusión y perplejidad del poeta oscilante entre la lucha por la felicidad y la entrega a la desesperación. Cfr. también F. J. Díez de Revenga, «La poesía paralelística de Miguel Hernández», *Revista de Occidente,* Madrid, núm. 139, octubre 1874, págs. 48-49.

del desengaño:
qué mala luna
me ha empujado a quererte
como a ninguna.

NO PUEDO olvidar
que no tengo alas,
que no tengo mar,
vereda ni nada
con que irte a besar.

BESARSE, mujer,
al sol, es besarnos
en toda la vida.
Asciende los labios,
eléctricamente
vibrantes de rayos,
con todo el furor
de un sol entre cuatro.

Besarse a la luna,
mujer, es besarnos
en toda la muerte:
descienden los labios,
con toda la luna
pidiendo su ocaso,
del labio de arriba,
del labio de abajo,
gastada y helada
y en cuatro pedazos.

RUMOROSAS pestañas
de los cañaverales.

Cayendo sobre el sueño
del hombre hasta dejarle
el pecho apaciguado
y la cabeza suave.

Ahogad la voz del arma,
que no despierta y salte
con el cuchillo de odio
que entre sus dientes late.
Así, dormido, el hombre
toda la tierra vale.

EL CORAZÓN es agua
que se acaricia y canta.

El corazón es puerta
que se abre y se cierra.

El corazón es agua
que se remueve, arrolla,
se arremolina, mata.

¿QUÉ PASA?
Rencor por tu mundo,
amor por mi casa.

¿Qué sueña?
El tiro en tu monte,
y el beso en mis eras.

¿Qué viene?
Para ti una sola,
para mí dos muertes.

ENTUSIASMO del odio,
ojos del mal querer.
Turbio es el hombre,
turbia la mujer.

BOCAS de ira[61].
Ojos de acecho.
Perros aullando.
Perros y perros.
Todo baldío.
Todo reseco.
Cuerpos y campos,
cuerpos y cuerpos.

¡Qué mal camino,
qué ceniciento
corazón tuyo,
fértil y tierno!

MENOS tu vientre,
todo es confuso.
Menos tu vientre,

[61] El poeta nos da su amarga visión del mundo en este paisaje traumático surgido de la fantasía febril y dolorida de un encarcelado. Es la proyección de su estado interior: «esas bocas, ojos, perros, caminos, campos baldíos y resecos, han dejado de ser meros motivos pictóricos de un cuadro para transfigurarse en las piezas simbólicas de ese tremendo y desquiciado paisaje humano tal como se proyecta en los sueños de un encarcelado» (Cfr. J. Cano Ballesta, «Paisaje y mundo interior», *Puerto,* abril-junio, 1968, págs. 40-41). La misma imagen melódica (acento en la sílaba 1.ª y 3.ª) suena monótona a lo largo de diez versos para evocar ese paisaje de ira, sospechas y esterilidad. En el v. 11 (acento en la sílaba 3.ª y 1.ª) se rompe ese ritmo para introducirnos por sorpresa en el delicioso oasis del corazón de la esposa. El efecto especial está logrado. Cfr. J. Cano Ballesta, *La poesía de M. H.,* págs. 212-213.

En el poema siguiente se establece de nuevo un contraste con sentido muy semejante.

todo es futuro
fugaz, pasado
baldío, turbio.
Menos tu vientre,
todo es oculto.
Menos tu vientre,
todo inseguro,
todo postrero,
polvo sin mundo.
Menos tu vientre
todo es oscuro.
Menos tu vientre
claro y profundo.

A LA LUNA venidera
te acostarás a parir
y tu vientre irradiará
la claridad sobre mí.

Alborada de tu vientre,
cada vez más claro en sí,
esclareciendo los pozos,
anocheciendo el marfil.

A la luna venidera
el mundo se vuelve a abrir.

RUEDA que irás muy lejos[62].
Ala que irás muy alto.

[62] L. de Luis y J. Urrutia recuerdan en su edición cómo este poema fue publicado por primera vez en la revista *Halcón*, núm. 9, mayo 1946, bajo el título «Niño» y que en una copia hecha por J. M. de Cossío, éste añadió: «para su hijo, recuerdo de Pascua. Ocaña, 1941», datos preciosos que ayudan a datarlo.

Torre del día, niño.
Alborear del pájaro.

Niño: ala, rueda, torre.
Pie. Pluma. Espuma. Rayo.
Ser como nunca ser.
Nunca serás en tanto.

Eres mañana. Ven
con todo de la mano.
Eres mi ser que vuelve
hacia su ser más claro.
El universo eres
que guía esperanzado.

Pasión del movimiento,
la tierra es tu caballo.
Cabalga. Domínala.
Y brotará en su casco
su piel de vida y muerte,
de sombra y luz piafando.
Asciende. Rueda. Vuela,
creador de alba y mayo.
Galopa. Ven. Y colma
el fondo de mis brazos.

ERA UN HOYO no muy hondo.
Casi en la flor de la sombra.
No hubiera cabido un hombre
dentro de su tierra angosta.
Él cupo: para su cuerpo
aún quedó anchura de sobra,
y no la quiso llenar
más que la tierra que arrojan.

En la casa había enarcado
la felicidad sus bóvedas.

Dentro de la casa había
siempre una luz victoriosa.
La casa va siendo un hoyo.

Yo no quisiera que toda
aquella luz se alejara
vencida desde la alcoba.

Pero cuando llueve, siento
que el resplandor se desploma,
y reverdecen los muebles
despintados por las gotas.
Memorias de la alegría,
cenizas latentes, doran
alguna vez las paredes
plenas de la triste historia.

Pero la casa no es,
no puede ser, otra cosa
que un ataúd con ventanas,
con puertas hacia la aurora;
golondrinas fuera, y dentro
arcos que se desmoronan.

En la casa falta un cuerpo
que aleteaban las alondras.
La alegría entre nosotros
es una ráfaga torva.

En la casa falta un cuerpo
que en la tierra se desborda.

FUE UNA ALEGRÍA de una sola vez,
de esas que no son nunca más iguales.
El corazón, lleno de historias tristes,
fue arrebatado por las claridades.

Fue una alegría como la mañana,
que puso azul el corazón, y grande,
más comunicativo su latido,
más esbelta su cumbre aleteante.

Fue una alegría que dolió de tanto
encenderse, reírse, dilatarse.
Una mujer y yo la recogimos
desde un niño rodado de su carne.

Fue una alegría en el amanecer
más virginal de todas las verdades.
Se inflamaban los gallos, y callaron
atravesados por su misma sangre.

Fue la primera vez de la alegría
la sola vez de su total imagen.
Las otras alegrías se quedaron
como granos de arena ante los mares.

Fue una alegría para siempre sola,
para siempre dorada, destellante.
Pero es una tristeza para siempre,
porque apenas nacida fue a enterrarse.

NO QUISO SER[63].

No conoció el encuentro
del hombre y la mujer.
El amoroso vello
no pudo florecer.

---

[63] «Amar es vivir la vida en toda su plenitud. Amar es ser. La abstención de realizar esa exigencia telúrica impuesta por la naturaleza es negarse a ser, es un acto de signo negativo... Con un continuo martilleo de negaciones lo describe Miguel» en esta canción. Cfr. J. Cano Ballesta, *La poesía de M. H.*, pág. 77.

Detuvo sus sentidos
negándose a saber
y descendieron diáfanos
ante el amanecer.

Vio turbio su mañana
y se quedó en su ayer.

No quiso ser.

EL CEMENTERIO está cerca
de donde tú y yo dormimos,
entre nopales azules,
pitas azules y niños
que gritan vívidamente
si un muerto nubla el camino.

De aquí al cementerio, todo
es azul, dorado, límpido.
Cuatro pasos, y los muertos.
Cuatro pasos, y los vivos.

Límpido, azul y dorado,
se hace allí remoto el hijo.

COMO LA HIGUERA joven
de los barrancos eras.
Y cuando yo pasaba
sonabas en la sierra.

Como la higuera joven,
resplandeciente y ciega.

Como la higuera eres.
Como la higuera vieja.

Y paso, y me saludan
silencio y hojas secas.

Como la higuera eres
que el rayo envejeciera.

QUE ME ACONSEJE el mar
lo que tengo que hacer:
si matar, si querer.

EL SOL, la rosa y el niño
flores de un día nacieron.
Los de cada día son
soles, flores, niños nuevos.

Mañana no seré yo:
otro será el verdadero.
Y no seré más allá
de quien quiera su recuerdo.

Flor de un día es lo más grande
al pie de lo más pequeño.
Flor de la luz el relámpago,
y flor del instante el tiempo.

Entre las flores te fuiste.
Entre las flores me quedo.

¿QUÉ QUIERE el viento de encono[64]
que baja por el barranco

[64] Cuando ya estábamos acostumbrados a leer «¿Qué quiere el viento de enero...», una lectura más esmerada de manuscritos originales obliga a A. Sánchez

y violenta las ventanas
mientras te visto de abrazos?

Derribarnos, arrastrarnos.

Derribadas, arrastradas,
las dos sangres se alejaron.
¿Qué sigue queriendo el viento
cada vez más enconado?

Separarnos.

EL AMOR ascendía entre nosotros
como la luna entre las dos palmeras
que nunca se abrazaron.

El íntimo rumor de los dos cuerpos
hacia el arrullo un oleaje trajo,
pero la ronca voz fue atenazada,
fueron pétreos los labios.

El ansia de ceñir movió la carne,
esclareció los huesos inflamados,
pero los brazos al querer tenderse
murieron en los brazos.

Pasó el amor, la luna, entre nosotros
y devoró los cuerpos solitarios.
Y somos dos fantasmas que se buscan
y se encuentran lejanos.

CERCA del agua te quiero llevar,
porque tu arrullo trascienda del mar.

---

Vidal y a J. Urrutia (Cfr. «Fijación de unos textos de MH», *La Estafeta Literaria*, agosto 1978) a restaurar el texto como ahora aparece, en que el v. 9 confirma lo acertado de la nueva lectura del v. 1.

Cerca del agua te quiero tener,
porque te aliente su vívido ser.

Cerca del agua te quiero sentir,
porque la espuma te enseñe a reír.

Cerca del agua te quiero, mujer,
ver, abarcar, fecundar, conocer.

Cerca del agua perdida del mar,
que no se puede perder ni encontrar.

LLUEVE. Los ojos se ahondan
buscando tus ojos: esos
dos ojos que se alejaron
a la sombra cuenca adentro.

Mirada con horizontes
cálidos y fondos tiernos,
íntimamente alentada
por un sol de íntimo fuego
que era en las pestañas negra
coronación de los sueños.

Mirada negra y dorada,
hecha de dardos directos,
signo de un alma en lo alto
de todo lo verdadero.

Ojos que se han consumado
infinitamente abiertos
hacia el saber que vivir
es llevar la luz a un centro.

Llueve como si llorara
raudales un ojo inmenso,
un ojo gris, desangrado,

pisoteado en el cielo.
Llueve sobre tus dos ojos
negros, negros, negros, negros,
y llueve como si el agua
verdes quisiera volverlos.

Pero sus arcos prosiguen
alejándose y hundiendo
negrura frutal en todo
el corazón de lo negro.

¿Volverán a florecer?

Si a través de tantos cuerpos
que ya combaten la flor
renovaran su ascua... Pero
seguirán bajo la lluvia
para siempre mustios, secos.

UVAS, granadas, dátiles[65],
doradas, rojas, rojos,
hierbabuena del alma,
azafrán de los poros.

Uvas como tu frente,
uvas como tus ojos.
Granadas con la herida
de tu florido asombro,
dátiles con tu esbelta
ternura sin retorno,
azafrán, hierbabuena

---

[65] En el mundo silencioso e íntimo del *Cancionero* se mantiene a lo largo de esta composición una gran frescura y espontaneidad dentro de la artificiosidad de su estructura reiterativa, ya que los diversos miembros aparecen reunidos al principio y después se van repitiendo esparcidos por el poema. Cfr. J. Cano Ballesta, *La poesía de M. H.*, págs. 240-241.

llueves a grandes chorros
sobre la mesa pobre,
gastada, del otoño,
muerto que te derramas,
muerto que yo conozco,
muerto frutal, caído
con octubre en los hombros.

Era un hoyo no muy hondo.
Casi en la flor de la sombra.
No hubiera cabido un hombre
en su oscuridad angosta.

Contigo todo fue anchura
en la tierra tenebrosa.

Mi casa contigo era
la habitación de la bóveda.
Dentro de mi casa entraba
por ti la luz victoriosa.

Mi casa va siendo un hoyo.
Yo no quisiera que toda
aquella luz se alejara
vencida, desde la alcoba.

Pero cuando llueve, siento
que las paredes se ahondan,
y reverdecen los muebles,
rememorando las hojas.

Mi casa es una ciudad
con una puerta a la aurora,
otra más grande a la tarde,
y a la noche, inmensa, otra.

En mi casa falta un cuerpo.

Dos en nuestra casa sobran.

TRISTES guerras
si no es amor la empresa.

Tristes. Tristes.

Tristes armas
si no son las palabras.

Tristes. Tristes.

Tristes hombres
si no mueren de amores.

Tristes. Tristes.

## GUERRA

TODAS las madres del mundo
ocultan el vientre, tiemblan,
y quisieran retirarse,
a virginidades ciegas,
el origen solitario
y el pasado sin herencia.
Pálida, sobrecogida
la fecundidad se queda.
El mar tiene sed y tiene
sed de ser agua la tierra.
Alarga la llama el odio
y el amor cierra las puertas.
Voces como lanzas vibran,
voces como bayonetas.
Bocas como puños vienen,
puños como cascos llegan.
Pechos como muros roncos,
piernas como patas recias.
El corazón se revuelve,
se atorbellina, revienta.
Arroja contra los ojos
súbitas espumas negras.

La sangre enarbola el cuerpo,
precipita la cabeza
y busca un hueco, una herida
por donde lanzarse afuera.
La sangre recorre el mundo

enjaulada, insatisfecha.
Las flores se desvanecen
devoradas por la hierba.
Ansias de matar invaden
el fondo de la azucena.
Acoplarse con metales
todos los cuerpos anhelan:
desposarse, poseerse
de una terrible manera.

Desaparecer: el ansia
general, creciente, reina.
Un fantasma de estandartes,
una bandera quimérica,
un mito de patrias: una
grave ficción de fronteras.
Músicas exasperadas,
duras como botas, huellan
la faz de las esperanzas
y de las entrañas tiernas.
Crepita el alma, la ira.
El llanto relampaguea.
¿Para qué quiero la luz
si tropiezo con tinieblas?

Pasiones como clarines,
coplas, trompas que aconsejan
devorarse ser a ser,
destruirse, piedra a piedra.
Relinchos. Retumbos. Truenos.
Salivazos. Besos. Ruedas.
Espuelas. Espadas locas
abren una herida inmensa.

Después, el silencio, mudo
de algodón, blanco de vendas,
cárdeno de cirugía,
mutilado de tristeza.
El silencio. Y el laurel

en un rincón de osamentas.
Y un tambor enamorado,
como un vientre tenso, suena
detrás del innumerable
muerto que jamás se aleja.

## EL ÚLTIMO RINCÓN[66]

EL ÚLTIMO y el primero:
rincón para el sol más grande,
sepultura de esta vida
donde tus ojos no caben.

Allí quisiera tenderme
para desenamorarme.

Por el olivo lo quiero,
lo percibo por la calle,
se sume por los rincones
donde se sumen los árboles.

Se ahonda y hace más honda
la intensidad de mi sangre.

Carne de mi movimiento,
huesos de ritmos mortales:
me muero por respirar
sobre vuestros ademanes.

Corazón que entre dos piedras
ansiosas de machacarte,

[66] A. Sánchez Vidal sitúa esta composición antes de abril de 1939 por estar escrita a máquina, y la considera formando un tríptico con «Antes del odio» y «Después del amor» (PC 884).

de tanto querer te ahogas
como un mar entre dos mares.
De tanto querer me ahogo,
y no me es posible ahogarme.

¿Qué hice para que pusieran
a mi vida tanta cárcel?

Tu pelo donde lo negro
ha sufrido las edades
de la negrura más firme,
y la más emocionante:
tu secular pelo negro
recorro hasta remontarme
a la negrura primera
de tus ojos y tus padres,
al rincón del pelo denso
donde relampagueaste.

Ay, el rincón de tu vientre;
el callejón de tu carne:
el callejón sin salida
donde agonicé una tarde.

La pólvora y el amor
marchan sobre las ciudades
deslumbrando, removiendo
la población de la sangre.

El naranjo sabe a vida
y el olivo a tiempo sabe.
Y entre el clamor de los dos
mi corazón se debate.

El último y el primero:
rincón donde algún cadáver
siente el arrullo del mundo
de los amorosos cauces.

Siesta que ha entenebrecido
el sol de las humedades.

Allí quisiera tenderme
para desenamorarme.

Después del amor, la tierra.
Después de la tierra, nadie.

## DESPUÉS DEL AMOR[67]

NO PUDIMOS ser. La tierra
no pudo tanto. No somos
cuanto se propuso el sol
en un anhelo remoto.
Un pie se acerca a lo claro.
En lo oscuro insiste el otro.
Porque el amor no es perpetuo
en nadie, ni en mí tampoco.
El odio aguarda su instante
dentro del carbón más hondo.
Rojo es el odio y nutrido.

El amor, pálido y solo.

Cansado de odiar, te amo.
Cansado de amar, te odio.

Llueve tiempo, llueve tiempo.
Y un día triste entre todos,
triste por toda la tierra.
triste desde mí hasta el lobo,
dormimos y despertamos
con un tigre entre los ojos.

---

[67] También este poema se puede datar por hallarse parte de él escrito «sobre el envoltorio de un paquete dirigido a la prisión de Torrijos», según A. Sánchez Vidal. Allá estuvo Miguel del 18 de mayo al 17 de septiembre de 1939. El v. 52: «fresco en su cárcel de agosto» precisaría más esta fecha (Cfr. PC 873).

Piedras, hombres como piedras,
duros y plenos de encono,
chocan en el aire, donde
chocan las piedras de pronto.

Soledades que hoy rechazan
y ayer juntaban sus rostros.
Soledades que en el beso
guardan el rugido sordo.
Soledades para siempre.
Soledades sin apoyo.

Cuerpo como un mar voraz,
entrechocando, furioso.

Solitariamente atados
por el amor, por el odio.
Por las venas surgen hombres,
cruzan las ciudades, torvos.

En el corazón arraiga
solitariamente todo.
Huellas sin compaña quedan
como en el agua, en el fondo.

Sólo una voz, a lo lejos,
siempre a lo lejos la oigo,
acompaña y hace ir
igual que el cuello a los hombros.

Sólo una voz me arrebata
este armazón espinoso
de vello retrocedido
y erizado que me pongo.

Los secos vientos no pueden
secar los mares jugosos.
Y el corazón permanece
fresco en su cárcel de agosto

porque esa voz es el arma
más tierna de los arroyos:

«Miguel: me acuerdo de ti
después del sol y del polvo,
antes de la misma luna,
tumba de un sueño amoroso.»

Amor: aleja mi ser
de sus primeros escombros,
y edificándome, dicta
una verdad como un soplo.

Después del amor, la tierra.
Después de la tierra, todo.

## ANTES DEL ODIO[68]

BESO SOY, sombra con sombra.
Beso, dolor con dolor,
por haberme enamorado,
corazón sin corazón,
de las cosas, del aliento
sin sombra de la creación.
Sed con agua en la distancia,
pero sed alrededor.

Corazón en una copa
donde me lo bebo yo
y no se lo bebe nadie,
nadie sabe su sabor.
Odio, vida: ¡cuánto odio
sólo por amor!

No es posible acariciarte
con las manos que me dio
el fuego de más deseo
el ansia de más ardor.

---

[68] Carlos Bousoño en un lúcido comentario lo llama «el mejor poema quizá del *Cancionero y romancero de ausencias* y uno de los más altos que haya escrito en toda su corta vida» y subraya su calidad autobiográfica como expresión de «el temblor y el movimiento anímico de un hombre que se llamó Miguel, colocado en una patética y concretísima circunstancia de la postguerra española» (C. Bousoño, «Notas sobre un poema de Miguel: Antes del odio», *Agora,* núm. 49-50, Madrid, nov-dic. 1960, y en M. de G. Ifach, *Miguel Hernández,* págs 258-261.)

Varias alas, varios vuelos
abaten en ellas hoy
hierros que cercan las venas
y las muerden con rencor.
Por amor, vida, abatido,
pájaro sin remisión.
Sólo por amor odiado,
sólo por amor.

Amor, tu bóveda arriba
y yo abajo siempre, amor,
sin otra luz que estas ansias,
sin otra iluminación.
Mírame aquí encadenado,
escupido, sin calor,
a los pies de la tiniebla
más súbita, más feroz,
comiendo pan y cuchillo
como buen trabajador
y a veces cuchillo sólo,
sólo por amor.

Todo lo que significa
golondrinas, ascensión,
claridad, anchura, aire,
decidido espacio, sol,
horizonte aleteante,
sepultado en un rincón.
Esperanza, mar, desierto,
sangre, monte rodador:
libertades de mi alma
clamorosas de pasión,
desfilando por mi cuerpo,
donde no se quedan, no,
pero donde se despliegan,
sólo por amor.

Porque dentro de la triste
guirnalda del eslabón,

del sabor a carcelero
constante, y a paredón,
y a precipicio en acecho,
alto, alegre, libre soy.
Alto, alegre, libre, libre,
sólo por amor.

No, no hay cárcel para el hombre.
No podrán atarme, no.
Este mundo de cadenas
me es pequeño y exterior.
¿Quién encierra una sonrisa?
¿Quién amuralla una voz?
A lo lejos tú, más sola
que la muerte, la una y yo.
A lo lejos tú, sintiendo
en tus brazos mi prisión,
en tus brazos donde late
la libertad de los dos.
Libre soy. Siénteme libre.
Sólo por amor.

# *Poemas últimos*

# HIJO DE LA LUZ Y DE LA SOMBRA

## I

### (HIJO DE LA SOMBRA)[69]

ERES LA NOCHE, esposa: la noche en el instante
mayor de su potencia lunar y femenina.
Eres la medianoche: la sombra culminante
donde culmina el sueño, donde el amor culmina.

Forjado por el día, mi corazón que quema
lleva su gran pisada de sol adonde quieres,
con un solar impulso, con una luz suprema,
cumbre de las mañanas y los atardeceres.

---

[69] Este tríptico de poemas representa lo más conmovedor y logrado de la poesía amorosa de M. H. En la sombra o noche (I parte) se concentran las fuerzas astrales y cósmicas («un astral sentimiento febril me sobrecoge») que ejercen sobre los esposos su inmenso poderío y los lanzan al choque de los cuerpos ante el común estremecimiento de tierra y firmamento. El acto nupcial se convierte en acontecimiento cósmico exigido por fuerzas misteriosas del universo: «potencia lunar», «sombra culminante», «solar impulso», «anhelo de imán y poderío»... como puede verse en estr, 3, 4, 5, 7, 8, 11 (Cfr. J. Cano Ballesta, *La poesía de M. H.*, pág, 75, 166-169, 197). Javier Herrero en su lúcida interpretación mítica de este poema considera también a la «noche» o «sombra» como la expresión de una «voluntad cósmica». Dice así: «La *Noche,* por tanto, es la fuerza impersonal, eterna, de la *sangre,* en cuanto absorbe las parejas, las mueve a la procreación y las convierte en instrumento de la marcha del *Hombre.* Hernández se esfuerza por describirnos la violencia de ese sombrío poder que posee a los amantes» (Cfr. J. Herrero, «Eros y cosmos: su expresión mítica en la poesía de M. H.», en J. Cano Ballesta y otros, *En torno a M. H.*, págs. 80-90).

Daré sobre tu cuerpo cuando la noche arroje
su avaricioso anhelo de imán y poderío.
Un astral sentimiento febril me sobrecoge,
incendia mi osamenta con un escalofrío.

El aire de la noche desordena tus pechos,
y desordena y vuelca los cuerpos con su choque.
Como una tempestad de enloquecidos lechos,
eclipsa las parejas, las hace un solo bloque.

La noche se ha encendido como una sorda hoguera
de llamas minerales y oscuras embestidas.
Y alrededor la sombra late como si fuera
las almas de los pozos y el vino difundidas.

Ya la sombra es el nido cerrado, incandescente,
la visible ceguera puesta sobre quien ama;
ya provoca el abrazo cerrado, ciegamente,
ya recoge en sus cuevas cuanto la luz derrama.

La sombra pide, exige seres que se entrelacen,
besos que la constelen de relámpagos largos,
bocas embravecidas, batidas, que atenacen,
arrullos que hagan música de sus mudos letargos.

Pide que nos echemos tú y yo sobre la manta,
tú y yo sobre la luna, tú y yo sobre la vida.
Pide que tú y yo ardamos fundiendo en la garganta,
con todo el firmamento, la tierra estremecida.

El hijo está en la sombra que acumula luceros,
amor, tuétano, luna, claras oscuridades.
Brota de sus perezas y de sus agujeros,
y de sus solitarias y apagadas ciudades.

El hijo está en la sombra: de la sombra ha surtido
y a su origen infunden los astros una siembra,
un zumo lácteo, un flujo de cálido latido,
que ha de obligar sus huesos al sueño y a la hembra.

Moviendo está la sombra sus fuerzas siderales,
tendiendo está la sombra su constelada umbría,
volcando las parejas y haciéndolas nupciales.
Tú eres la noche, esposa. Yo soy el mediodía.

## II

### (HIJO DE LA LUZ)[70]

Tú eres el alba, esposa: la principal penumbra,
recibes entornadas las horas de tu frente.
Decidido al fulgor, pero entornado, alumbra
tu cuerpo. Tus entrañas forjan el sol naciente.

Centro de claridades, la gran hora te espera
en el umbral de un fuego que el fuego mismo abrasa:
te espero yo, inclinado como el trigo a la era,
colocando en el centro de la luz nuestra casa.

La noche desprendida de los pozos oscuros,
se sumerge en los pozos donde ha echado raíces.
Y tú te abres al parto luminoso, entre muros
que se rasgan contigo como pétreas matrices.

La gran hora del parto, la más rotunda hora:
estallan los relojes sintiendo tu alarido,
se abren todas las puertas del mundo, de la aurora,
y el sol nace en tu vientre donde encontró su nido.

El hijo fue primero sombra y ropa cosida
por tu corazón hondo desde tus hondas manos.
Con sombras y con ropas anticipó su vida,
con sombras y con ropas de gérmenes humanos.

---

[70] No sólo la generación del hijo, sino también el parto tiene lugar como acontecimiento cósmico («tus entrañas forjan el sol naciente», «el sol nace en tu vientre») mientras la figura de la esposa se agiganta hasta cobrar dimensiones astrales convertida en «centro de claridades» o en alba que alumbra al sol del hijo.

Las sombras y las ropas sin población, desiertas,
se han poblado de un niño sonoro, un movimiento,
que en nuestra casa pone de par en par las puertas,
y ocupa en ella a gritos el luminoso asiento.

¡Ay, la vida: qué hermoso penar tan moribundo!
Sombras y ropas trajo la del hijo que nombras.
Sombras y ropas llevan los hombres por el mundo.
Y todos dejan siempre sombras: ropas y sombras.

Hijo del alba eres, hijo del mediodía.
Y ha de quedar de ti luces en todo impuestas,
mientras tu madre y yo vamos a la agonía,
dormidos y despiertos con el amor a cuestas.

Hablo y el corazón me sale en el aliento.
Si no hablara lo mucho que quiero me ahogaría.
Con espliego y resinas perfumo tu aposento.
Tú eres el alba, esposa. Yo soy el mediodía.

## III

### (HIJO DE LA LUZ Y DE LA SOMBRA)[71]

Tejidos en el alba, grabados, dos panales
no pueden detener la miel en los pezones.
Tus pechos en el alba: maternos manantiales,
luchan y se atropellan con blancas efusiones.

---

[71] Si el esposo y la esposa actúan en la generación y el parto como arrastrados por fuerzas siderales, el hijo quedará como testimonio palpable de que dos seres han quedado fundidos en uno proyectándolos hacia el pasado («los primeros pobladores del mundo») y hacia el futuro y toda la posteridad. El hijo será, pues, lazo con toda «la especie humana» y fuente de energía que hará vivir la agricultura y circular las hélices (estr. 7, 9). También la esposa se transfigura dentro de esta órbita astral: sus pechos «tejidos en el alba» se desbordarán «lunarmente» al igual que sus venas. A. Sánchez Vidal anota: «Este poema va dedicado al primer hijo de MH (nacido el 19 de diciembre de 1937) y su composición debe situarse hacia principios de 1938» (PC 893).

Se han desbordado, esposa, lunarmente tus venas,
hasta inundar la casa que tu saber rezuma.
Y es como si brotaras de un pueblo de colmenas,
tú toda una colmena de leche con espuma.

Es como si tu sangre fuera dulzura toda,
laboriosas abejas filtradas por tus poros.
Oigo un clamor de leche, de inundación, de boda
junto a ti, recorrida por caudales sonoros.

Caudalosa mujer, en tu vientre me entierro.
Tu caudaloso vientre será mi sepultura.
Si quemaran mis huesos con la llama del hierro,
verían qué grabada llevo allí tu figura.

Para siempre fundidos en el hijo quedamos:
fundidos como anhelan nuestras ansias voraces:
en un ramo de tiempo, de sangre, los dos ramos,
en un haz de caricias, de pelo, los dos haces.

Los muertos, con un fuego congelado que abrasa,
laten junto a los vivos de una manera terca.
Viene a ocupar el hijo los campos y la casa
que tú y yo abandonamos quedándonos muy cerca.

Haremos de este hijo generador sustento,
y hará de nuestra carne materia decisiva:
donde sienten su alma las manos y el aliento,
las hélices circulen, la agricultura viva.

Él hará que esta vida no caiga derribada,
pedazo desprendido de nuestros dos pedazos,
que de nuestras dos bocas hará una sola espada
y dos brazos eternos de nuestros cuatro brazos.

No te quiero a ti sola: te quiero en tu ascendencia
y en cuanto de tu vientre descenderá mañana.
Porque la especie humana me han dado por herencia,
la familia del hijo será la especie humana.

Con el amor a cuestas, dormidos y despiertos,
seguiremos besándonos en el hijo profundo.
Besándonos tú y yo se besan nuestros muertos,
se besan los primeros pobladores del mundo.

## CASIDA DEL SEDIENTO[72]

ARENA del desierto
soy: desierto de sed.
Oasis es tu boca
donde no he de beber.

Boca: oasis abierto
a todas las arenas del desierto.

Húmedo punto en medio
de un mundo abrasador,
el de tu cuerpo, el tuyo,
que nunca es de los dos.

Cuerpo: pozo cerrado
a quien la sed y el sol han calcinado.

[72] En las *Obras Completas* de Losada aparece con la indicación «Ocaña, mayo, 1941» y A. Sánchez Vidal lo considera «el último poema escrito por Miguel Hernández» (PC 886).

## [NANAS DE LA CEBOLLA][73]

LA CEBOLLA es escarcha
cerrada y pobre:
escarcha de tus días
y de mis noches.
Hambre y cebolla:
hielo negro y escarcha
grande y redonda.

En la cuna del hambre
mi niño estaba.
Con sangre de cebolla
se amamantaba.
Pero tu sangre,
escarchaba de azúcar,
cebolla y hambre.

Una mujer morena,
resuelta en luna,

[73] Las escribió al recibir una carta de su mujer en que le decía que no comía más que pan y cebolla. Miguel, desde la prisión de Torrijos (Madrid), le envía en respuesta el 12 de septiembre de 1939, las «Nanas» con esta conmovedora carta: «Estos días me los he pasado cavilando sobre tu situación, cada día más difícil. El olor de la cebolla que comes me llega hasta aquí y mi niño se sentirá indignado de mamar y sacar zumo de cebolla en vez de leche. Para que lo consueles te mando esas coplillas que le he hecho, ya que para mí no hay otro quehacer que escribiros a vosotros o desesperarme.» Estas «Nanas», calificadas por C. Zardoya «las más trágicas canciones de cuna de toda la poesía española», merecieron un hermoso comentario del poeta y crítico Luis Felipe Vivanco, «Las nanas de la cebolla», *Cuadernos de Agora*, Madrid, núms. 49-50, nov.–dic. 1960 y en J. Cano Ballesta y otros, *En torno a M. H.*, págs. 136-141.

se derrama hilo a hilo
sobre la cuna.
Ríete, niño,
que te tragas la luna
cuando es preciso.

Alondra de mi casa,
ríete mucho.
Es tu risa en los ojos
la luz del mundo.
Ríete tanto
que en el alma, al oírte,
bata el espacio.

Tu risa me hace libre,
me pone alas.
Soledades me quita,
cárcel me arranca.
Boca que vuela,
corazón que en tus labios
relampaguea.

Es tu risa la espada
más victoriosa.
Vencedor de las flores
y las alondras.
Rival del sol,
porvenir de mis huesos
y de mi amor.

La carne aleteante,
súbito el párpado,
y el niño como nunca
coloreado.
¡Cuánto jilguero
se remonta, aletea,
desde tu cuerpo!

Desperté de ser niño.
Nunca despiertes.
Triste llevo la boca.
Ríete siempre.
Siempre en la cuna,
defendiendo la risa
pluma por pluma.

Ser de vuelo tan alto,
tan extendido,
que tu carne parece
cielo cernido.
¡Si yo pudiera
remontarme al origen
de tu carrera!

Al octavo mes ríes
con cinco azahares.
Con cinco diminutas
ferocidades.
Con cinco dientes
como cinco jazmines
adolescentes.

Frontera de los besos
serán mañana,
cuando en la dentadura
sientas un arma.
Sientas un fuego
correr dientes abajo
buscando el centro.

Vuela niño en la doble
luna del pecho.
Él, triste de cebolla.
Tú, satisfecho.
No te derrumbes.
No sepas lo que pasa
ni lo que ocurre.

## 19 DE DICIEMBRE DE 1937[74]

DESDE que el alba quiso ser alba, toda eres
madre. Quiso la luna profundamente llena.
En tu dolor lunar he visto dos mujeres,
y un removido abismo bajo una luz serena[75].

¡Qué olor de madreselva desgarrada y hendida!
¡Qué exaltación de labios y honduras generosas!
Bajo las huecas ropas aleteó la vida,
y se sintieron vivas bruscamente las cosas.

Eres más clara. Eres más tierna. Eres más suave.
Ardes y te consumes con más recogimiento.
El nuevo amor te inspira la levedad del ave
y ocupa los caminos pausados de tu aliento.

Ríe, porque eres madre con luna. Así lo expresa
tu palidez rendida de recorrer lo rojo;
y ese cerezo exhausto que en tu corazón pesa,
y el ascua repentina que te agiganta el ojo.

---

[74] Restituyo a este poema el título que aparece en un manuscrito, según Sánchez Vidal, quien dice: «Lleva como título, tachado, *Madre* y, sin tachar, *19-diciembre-1937*, es decir, la fecha de nacimiento de su primer hijo, lo que establece un claro parentesco entre este poema e «Hijo de la luz y de la sombra» (PC 906). Cfr. también L. de Luis, «Notas a cuatro poemas de M. H.», *Poesía Española*, Madrid, núm. 121, enero 1963 y en M. de G. Ifach, *Miguel Hernández*, págs. 247-249.

[75] En el v. 4 conservo «abismo» en vez de «abispo», que ofrece Sánchez Vidal (PC 691, 906) sin dar razón alguna y a pesar de que afirma seguir la edición de OC, que trae también «abismo».

Ríe, que todo ríe: que todo es madre leve.
Profundidad del mundo sobre el que te has quedado
sumiéndote y ahondándote mientras la luna mueve,
igual que tú, su hermosa cabeza hacia otro lado.

Nunca tan parecida tu frente al primer cielo.
Todo lo abres, todo lo alegras, madre, aurora.
Vienen rodando el hijo y el sol. Arcos de anhelo
te impulsan. Eres madre. Sonríe. Ríe. Llora.

## CANTAR

ES LA CASA un palomar
y la cama un jazminero.
Las puertas de par en par
y en el fondo el mundo entero.

El hijo, tu corazón
madre que se ha engrandecido.
Dentro de la habitación
todo lo que ha florecido.

El hijo te hace un jardín,
y tú has hecho al hijo, esposa,
la habitación del jazmín,
el palomar de la rosa.

Alrededor de tu piel
ato y desato la mía.
Un mediodía de miel
rezumas: un mediodía.

¿Quién en esta casa entró
y la apartó del desierto?
Para que me acuerde yo
alguien que soy yo y ha muerto.

Viene la luz más redonda
a los almendros más blancos.

La vida, la luz se ahonda
entre muertos y barrancos.

Venturoso es el futuro,
como aquellos horizontes
de pórfido y mármol puro
donde respiran los montes.

Arde la casa encendida
de besos y sombra amante.
No puede pasar la vida
más honda y emocionante.

Desbordadamente sorda
la leche alumbra tus huesos.
Y la casa se desborda
con ella, el hijo y los besos.

Tú, tu vientre caudaloso,
el hijo y el palomar.
Esposa, sobre tu esposo
suenan los pasos del mar.

## SONREÍR CON LA ALEGRE TRISTEZA DEL OLIVO

SONREÍR con la alegre tristeza del olivo.
Esperar. No cansarse de esperar la alegría.
Sonriamos. Doremos la luz de cada día
en esta alegre y triste vanidad del ser vivo.

Me siento cada día más libre y más cautivo
en toda esta sonrisa tan clara y tan sombría.
Cruzan las tempestades sobre tu boca fría
como sobre la mía que aún es un soplo estivo.

Una sonrisa se alza sobre el abismo: crece
como un abismo trémulo, pero valiente en alas.
Una sonrisa eleva calientemente el vuelo.

Diurna, firme, arriba, no baja, no anochece.
Todo lo desafías, amor: todo lo escalas.
Con sonrisa te fuiste de la tierra y del cielo.

## VUELO[76]

SÓLO quien ama vuela. Pero ¿quién ama tanto
que sea como el pájaro más leve y fugitivo?
Hundiendo va este odio reinante todo cuanto
quisiera remontarse directamente vivo.

Amar... Pero, ¿quién ama? Volar... Pero, ¿quién vuela?
Conquistaré el azul ávido de plumaje,
pero el amor, abajo siempre, se desconsuela
de no encontrar las alas que da cierto coraje.

Un ser ardiente, claro de deseos, alado,
quiso ascender, tener la libertad por nido.
Quiso olvidar que el hombre se aleja encadenado.
Donde faltaban plumas puso valor y olvido.

Iba tan alto a veces, que le resplandecía
sobre la piel el cielo, bajo la piel el ave.

---

[76] Fue escrito en marzo de 1941, según M. de G. Ifach *(Miguel Hernández,* pág. 294), y, por lo tanto, en el Reformatorio de Adultos de Ocaña (Toledo). Nada expresaba mejor sus ansias de encarcelado que la metáfora intensa del ave como símbolo de libertad y de las ansias de volar sin trabas. De ahí su frecuencia en este periodo. No olvidemos que, como se ha notado, el poema es tremendamente autobiográfico: «Estas *galerías* no son las irreales galerías del alma de un primer Machado metafísico. Estas son las galerías de baldosa y rejas de un penal, y el aire que por ellas acuchilla a los presos, hería diariamente el rostro y los pulmones del poeta. Ese aire no era sólo un nudo, no. Era *su nudo,* el nudo que era todo lo que le rodeaba en aquel momento» (L. de Luis, «Notas a cuatro poemas», *Poesía Española,* Madrid, núm. 121, enero 1963 y en M. de G. Ifach, *Miguel Hernández,* pág. 250).

Ser que te confundiste con una alondra un día,
te desplomaste otros como el granizo grave.

Ya sabes que las vidas de los demás son losas
con que tapiarte: cárceles con que tragar la tuya.
Pasa, vida, entre cuerpos, entre rejas hermosas.
A través de las rejas, libre la sangre afluya.

Triste instrumento alegre de vestir; apremiante
tubo de apetecer y respirar el fuego.
Espada devorada por el uso constante.
Cuerpo en cuyo horizonte cerrado me despliego.

No volarás. No puedes volar, cuerpo que vagas
por estas galerías donde el aire es mi nudo.
Por más que te debatas en ascender, naufragas.
No clamarás. El campo sigue desierto y mudo.

Los brazos no aletean. Son acaso una cola
que el corazón quisiera lanzar al firmamento.
La sangre se entristece de batirse sola.
Los ojos vuelven tristes de mal conocimiento.

Cada ciudad, dormida, despierta loca, exhala
un silencio de cárcel, de sueño que arde y llueve
como un élitro ronco de no poder ser ala.
El hombre yace. El cielo se eleva. El aire mueve.

## MUERTE NUPCIAL

EL LECHO, aquella hierba de ayer y de mañana:
este lienzo de ahora sobre madera aún verde,
flota como la tierra, se sume en la besana
donde el deseo encuentra los ojos y los pierde.

Pasar por unos ojos como por un desierto:
como por dos ciudades que ni un amor contienen.
Mirada que va y vuelve sin haber descubierto
el corazón a nadie, que todos las enarenen.

Mis ojos encontraron en un rincón los tuyos.
Se descubrieron mudos entre las dos miradas
Sentimos recorrernos un palomar de arrullos,
y un grupo de arrebatos de alas arrebatadas.

Cuanto más se miraban más se hallaban: más hondos
se veían, más lejos, más en uno fundidos.
El corazón se puso, y el mundo, más redondo.
Atravesaba el lecho la patria de los nidos.

Entonces, el anhelo creciente, la distancia
que ya de hueso a hueso recorrida y unida,
al aspirar del todo la imperiosa fragancia,
proyectamos los cuerpos más allá de la vida.

Espiramos del todo. ¡Qué absoluto portento!
¡Qué total fue la dicha de mirarse abrazados,

desplegados los ojos hacia arriba un momento,
y al momento hacia abajo con los ojos plegados!

Pero no moriremos. Fue tan cálidamente
consumada la vida como el sol, su mirada.
No es posible perdernos. Somos plena simiente.
Y la muerte ha quedado, con los dos, fecundada.

## EL NIÑO DE LA NOCHE

RIÉNDOSE, burlándose con claridad del día,
se hundió en la noche el niño que quise ser dos veces.
No quise más la luz. ¿Para qué? No saldría
más de aquellos silencios y aquellas lobregueces.

Quise ser... ¿Para qué?... Quise llegar gozoso
al centro de la esfera de todo lo que existe.
Quise llevar la risa como lo más hermoso.
He muerto sonriendo serenamente triste.

Niño dos veces niño: tres veces venidero.
Vuelve a rodar por ese mundo opaco del vientre.
Atrás, amor. Atrás, niño, porque no quiero
salir donde la luz su gran tristeza encuentre.

Regreso al aire plástico que alentó mi inconsciencia.
Vuelvo a rodar, consciente del sueño que me cubre.
En una sensitiva sombra de transparencia,
en un íntimo espacio rodar de octubre a octubre.

Vientre: carne central de todo lo existente.
Bóveda eternamente si azul, si roja, oscura.
Noche final en cuya profundidad se siente
la voz de las raíces y el soplo de la altura.

Bajo tu piel avanzo, y es sangre la distancia.
Mi cuerpo en una densa constelación gravita.

El universo agolpa su errante resonancia
allí, donde la historia del hombre ha sido escrita.

Mirar, y ver en torno la soledad, el monte,
el mar, por la ventana de un corazón entero
que ayer se acongojaba de no ser horizonte
abierto a un mundo menos mudable y pasajero.

Acumular la piedra y el niño para nada:
para vivir sin alas y oscuramente un día.
Pirámide de sal temible y limitada,
sin fuego ni frescura. No. Vuelve, vida mía.

Mas, algo me ha empujado desesperadamente.
Caigo en la madrugada del tiempo, del pasado.
Me arrojan de la noche. Y ante la luz hiriente
vuelvo a llorar desnudo, como siempre he llorado[77].

---

[77] Acepto en lo fundamental la versión de este verso adoptada por A. Sánchez Vidal siguiendo «dos manuscritos que sólo difieren en el v. 32» (PC 908, 696). Resulta, no obstante, extraño que sólo en este verso se rompa la perfecta uniformidad del alejandrino seguida sin excepción por M. H. en este y tantos otros poemas de estos años. Por ello creo imprescindible restituir la palabra «desnudo» presente en el primer hemistiquio en OC y OPC considerando que debió ser tachado indebidamente al corregir el segundo hemistiquio.

## SEPULTURA DE LA IMAGINACIÓN[78]

UN ALBAÑIL QUERÍA... No le faltaba aliento.
Un albañil quería, piedra tras piedra, muro
tras muro, levantar una imagen al viento
desencadenador en el futuro.

Quería un edificio capaz de lo más leve.
No le faltaba aliento. ¡Cuánto aquel ser quería!
Piedras de plumas, muros de pájaros los mueve
una imaginación al mediodía.

Reía. Trabajaba. Cantaba. De sus brazos,
con un poder más alto que el ala de los truenos
iban brotando muros lo mismo que aletazos.
Pero los aletazos duran menos.

Al fin, era la piedra su agente. Y la montaña
tiene valor de vuelo si es totalmente activa.
Piedra por piedra es peso, y hunde cuanto acompaña
aunque esto sea un mundo de ansia viva.

Un albañil quería... Pero la piedra cobra
su torva densidad brutal en un momento.
Aquel hombre labraba su cárcel. Y en su obra
fueron precipitados él y el viento.

---

[78] Este poema debió ser compuesto en la Prisión del Conde de Toreno (Madrid) a principios de 1940, según cree C. Zardoya *(Miguel Hernández,* pág. 42) y confirma A. Bueno Vallejo (J. Cano Ballesta y otros *En torno a M.H.,* páginas 30-31). Una copia manuscrita por el mismo poeta aparece en el «menú» de la comida que celebraron en su honor una serie de intelectuales y admiradores en el Penal de Ocaña el 27 de diciembre de 1940.

## BOCA

BOCA que arrastra mi boca:
boca que me has arrastrado:
boca que vienes de lejos
a iluminarme de rayos.

Alba que das a mis noches
un resplandor rojo y blanco.
Boca poblada de bocas:
pájaro lleno de pájaros.
Canción que vuelve las alas
hacia arriba y hacia abajo.
Muerte reducida a besos,
a sed de morir despacio,
das a la grama sangrante
dos fúlgidos aletazos.
El labio de arriba el cielo
y la tierra el otro labio.

Beso que rueda en la sombra:
beso que viene rodando
desde el primer cementerio
hasta los últimos astros.
Astro que tiene tu boca
enmudecido y cerrado
hasta que un roce celeste
hace que vibren sus párpados.

Beso que va a un porvenir
de muchachas y muchachos,

que no dejarán desiertos
ni las calles ni los campos.

¡Cuánta boca ya enterrada,
sin boca, desenterramos!

Bebo en tu boca por ellos,
brindo en tu boca por tantos
que cayeron sobre el vino
de los amorosos vasos.
Hoy son recuerdos, recuerdos,
besos distantes y amargos.

Hundo en tu boca mi vida,
oigo rumores de espacios,
y el infinito parece
que sobre mí se ha volcado.

He de volverte a besar,
he de volver, hundo, caigo,
mientras descienden los siglos
hacia los hondos barrancos
como una febril nevada
de besos y enamorados.

Boca que desenterraste
el amanecer más claro
con tu lengua. Tres palabras,
tres fuegos has heredado:
vida, muerte, amor. Ahí quedan
escritos sobre tus labios.

## ASCENSIÓN DE LA ESCOBA[79]

CORONAD a la escoba de laurel, mirto, rosa.
Es el héroe entre aquellos que afrontan la basura.
Para librar del polvo sin vuelo cada cosa
bajó, porque era palma y azul, desde la altura.

Su ardor de espada joven y alegre no reposa.
Delgada de ansiedad, pureza, sol, bravura,
azucena que barre sobre la misma fosa,
es cada vez más alta, más cálida, más pura.

Nunca: la escoba nunca será crucificada,
porque la juventud propaga su esqueleto
que es una sola flauta muda, pero sonora.

Es una sola lengua sublime y acordada.
Y ante un aliento raudo se ausenta el polvo quieto.
Y asciende una palmera, columna hacia la aurora.

---

[79] Este soneto fue escrito en la cárcel de Torrijos en la primera mitad de septiembre de 1939 (ya que Miguel salió de ella el 17 de septiembre) con motivo de haber sido castigado a barrer varias dependencias de la prisión, según C. Zardoya, *Miguel Hernández*, pág. 39.

## VALS DE LOS ENAMORADOS Y UNIDOS HASTA SIEMPRE

NO SALIERON jamás
del vergel del abrazo.
Y ante el rojo rosal
de los besos rodaron.

Huracanes quisieron
con rencor separarlos.
Y las hachas tajantes
y los rígidos rayos.

Aumentaron la tierra
de las pálidas manos.
Precipicios midieron,
por el viento impulsados
entre bocas deshechas.
Recorrieron naufragios,
cada vez más profundos
en sus cuerpos sus brazos.

Perseguidos, hundidos
por un gran desamparo
de recuerdos y lunas
de noviembres y marzos,
aventados se vieron
como polvo liviano:
aventados se vieron,
pero siempre abrazados.

## ETERNA SOMBRA[80]

YO QUE CREÍ que la luz era mía
precipitado en la sombra me veo.
Ascua solar, sideral alegría
ígnea de espuma, de luz, de deseo.

Sangre ligera, redonda, granada:
raudo anhelar sin perfil ni penumbra.
Fuera, la luz en la luz sepultada.
Siento que sólo la sombra me alumbra.

---

80 La controversia entre dos ilustres hispanistas italianos, Oreste Macrí y Darío Puccini, ha planteado problemas básicos de «Eterna sombra». Macrí propone una interpretación mística y barroca, dentro de una vaga tradición platónica y neoplatónica: «"luz" es la vieja trascendencia, "sombra" es la capacidad humana, corpórea, sin vuelos, de la que no es posible salir»; «la tiniebla es la verdadera luz o preparación para la luz, como en San Juan de la Cruz» (O. Macrí, «Diálogo con Puccini sobre Hernández», en M. de G. Ifach, Miguel Hernández, págs. 232-233). Más convincente resulta la lectura sobria y realista de Puccini para quien *sombra* es «metáfora directa de la cárcel» que evoluciona «de *sombra-cárcel* a *sombra-cárcel-muerte* y a *sombra-muerte»* para enriquecerse, diría yo, con toda una serie de contenidos semánticos como cárcel, odio (estr. 4), falta de libertad (estr. 5), desesperanza, muerte (estr. 6); mientras que la *luz* es libertad, dicha (estr. 1), esperanza (estr. 6) para viciarse después y convertirse en odio: «el fulgor de los puños», «el resplandor de los dientes» (estr. 7). D. Puccini concluye: «Al componer su poesía-testamento, Miguel Hernández nos ha transmitido un mensaje coherente con su vida y su poesía, trágica y heroica al mismo tiempo. Rodeado de una «gran soledad de rugidos» (fascismo, muertes, fusilamientos y la guerra mundial al fondo), no por ello ha descartado la esperanza en un mundo mejor, ya destinado a los demás. No es un azar que en varios poemas de su última época sean frecuentes las alusiones a la *aurora* y al *sol,* a la paz y al porvenir feliz de los jóvenes: indicios claros y señales evidentes de una aspira-

Sólo la sombra. Sin astro[81]. Sin cielo.
Seres. Volúmenes. Cuerpos tangibles
dentro del aire que no tiene vuelo,
dentro del árbol de los imposibles.

Cárdenos ceños, pasiones de luto.
Dientes sedientos de ser colorados.
Oscuridad del rencor absoluto.
Cuerpos lo mismo que pozos cegados.

Falta el espacio. Se ha hundido la risa.
Ya no es posible lanzarse a la altura.
El corazón quiere ser más de prisa
fuerza que ensancha la estrecha negrura.

Carne sin norte que va en oleada
hacia la noche siniestra, baldía.
¿Quién es el rayo de sol que la invada?
Busco. No encuentro ni rastro del día.

Sólo el fulgor de los puños cerrados,
el resplandor de los dientes que acechan.
Dientes y puños de todos los lados.
Más que las manos, los montes se estrechan.

---

ción utópica, que tan bien se conjuga con su concepción inmanente del mundo» (D. Puccini, «El último mensaje de Miguel Hernández», *Revista de Occidente*, Madrid, 139, octubre 1974, y en M. de G. Ifach, *Miguel Hernández*, pág. 241).

L. de Luis, al estudiar las variantes del poema, notó una versión de los dos últimos versos, muy llamativa, que decía:

Si por un rayo de sol nadie lucha
nunca ha de verse la sombra vencida

sustituida por la forma definitiva que reproducimos. El citado autor comenta: «Es ejemplar —ejemplar y conmovedora— la lección de fe y de viril entereza que nos pone delante este gran poeta al superar un posible y humano abatimiento que había impuesto en tan excepcional poema un tono no ya decepcionado, sino heridamente dubitativo» (L. de Luis, «Notas a cuatro poemas de M. Hernández», M. de G. Ifach, *Miguel Hernández*, pág. 247).

[81] Prefiero la lectura «Sin astro», siguiendo las OC, en vez de «Sin rastro» (PC 702) por parecerme exigida por el contexto en general.

Turbia es la lucha sin sed de mañana.
¡Qué lejanía de opacos latidos!
Soy una cárcel con una ventana
ante una gran soledad de rugidos.

Soy una abierta ventana que escucha,
por donde va tenebrosa la vida.
Pero hay un rayo de sol en la lucha
que siempre deja la sombra vencida.

# Índice

SALEM ACADEMY & COLLEGE
0 2960 0042902 1